CANNWYLL YN OLAU

STORI JOHN PULESTON JONES

Harri Parri

ISBN: 978-1-912173-09-9

Cyhoeddwyd gyda chymorth ariannol Cyngor Llyfrau Cymru

Cyhoeddwyd gan:
Gwasg y Bwthyn, Caernarfon
gwasgybwthyn@btconnect.com

Dylunio: Elgan Griffiths

I gofio Arthur Rowlands, 1922-2012,
cyn-blismon a gollodd ei olwg pan saethwyd
ato ger Pont ar Ddyfi, 2 Awst 1961. Un y cefais
ei gwmni a'i gefnogaeth am yn agos i 40
mlynedd; un arall fu'n fwy na choncwerwr.

CYNNWYS

RHAGAIR

Wedi cyhoeddi *Gwn Glân a Beibl Budr* yn 2014, a oedd yn fath o bortread o John Williams, Brynsiencyn, a'r Rhyfel Mawr, fe awgrymodd rhai (mwy nag un, o leiaf) y dylid edrych ar fywyd Puleston hefyd – y 'pregethwr dall' a'r heddychwr.

Gwyddwn, mi wyddwn am y cofiant a gyhoeddwyd iddo yn 1929 – un diddorol a phoblogaidd iawn ar y pryd – ond ac iddo deitl gweddol ddiddychymyg, fel y rhan fwyaf o gofiannau'r cyfnod: *John Puleston Jones M.A., D.D.* Roedd yr awdur, R. W. Jones, yn weinidog yng Nghaergybi ar y pryd ac wedi priodi Myfanwy, merch y Parchedig John Puleston Jones. Felly, roedd y manylion a oroesodd am ei arwr o fewn ei gyrraedd. Nid yn unig roedd o'n fab yng nghyfraith i Puleston ond roedd o, yn ogystal, yn fab iddo yn y Ffydd; o'r ongl yna yr ysgrifennodd amdano. Ond pe chwiliwn, a fyddai yna ddeunydd ychwanegol a gwahanol ar gael?

‘Chwilio gem a chael gwymon’ fu hi am fisoedd hir; o archifdai i lyfrgelloedd ac o lyfrgelloedd i archifdai. Yna, deuthum ar draws cawg o aur. Yn ddiarwybod i mi, ac i bron bawb arall erbyn hyn, fe ddiogelodd y teulu ddeunydd anhygoel amdano; anhygoel o ran ei faint a’i fanylder. Yn yr archif ceir casgliad helaeth o lythyrau, toriadau dirifedi o bapurau newydd, erthyglau, adolygiadau o’i waith, hanesion amdano, lluniau ohono, ynghyd â llyfrau lloffion hynod ddiddorol. Mae hyd yn oed ei draethodau coleg a’i lythyrau caru wedi’u cadw. Diogelwyd rhai pethau annisgwyl iawn: pâr o garnau Dic, ei geffyl, cypyrddau o waith coed a luniodd (er ei fod yn gwbl ddall), ei deipiaduron a’r llyfrau teip Moon a Braille y bu’n eu defnyddio. Rhoddodd David Puleston Williams, gor-ŵyr i Puleston ac edmygydd ohono, drefn ar y cyfan.

Unwaith eto, doedd yna ddim bwriad i ysgrifennu ail gofiant, pe medrwn, ond gadael i lun a dyfyniad, atgof a chofnod, canmoliaeth a beirniadaeth, chwedl a digwyddiad ddweud yr hanes.

Wrth danio’r cyfrifiadur penderfynais y byddwn yn cadw John Williams allan o’r stori. Wedi’r cyfan, roedd ‘Brynsiencyn’ wedi cael ei siâr o inc fel ag yr oedd hi. Brwydr seithug fu honno. Degawd, mwy neu lai, o wahaniaeth oed oedd rhwng y ddau. Bu’r ddau yn dilyn yr un math o swydd, a chyda’r un enwad, ac yn cystadlu am sylw a chefnogaeth yr un math o gynulleidfa. Y Rhyfel Byd Cyntaf, a’u hagweddau gwahanol tuag ato, a rwygodd eu perthynas â’i gilydd a chreu eiconau o’r ddau: John Williams o blaid y Rhyfel, yn annog rhai i fynd i faes y gad, a Puleston yn un o heddychwyr amlycaf y cyfnod. Rhoddodd y Rhyfel Byd Cyntaf enwogrwydd rhyfeddol i'r ddau fel ei gilydd. Nid ei bod hi'n gymhariaeth gwbl deg, dawn oedd fforte John Williams a Puleston, gydag elfennau o athrylith.

Os mai prinder deunydd oedd y gofid ar y dechrau, y digonedd deunydd, a'i gyfoeth, a achosodd ofidiau i mi yn nes ymlaen: sut i wahaniaethu rhwng y diddorol a'r mwy diddorol fyth.

Mwy na fu rhyfel yn offeryn effeithiol i sicrhau heddwch fu heddychwyr a heddychiaeth, chwaith, ddim yn llwyddiannus i ddileu rhyfel o'r tir. Wedi byw hefo John Williams a Puleston am rai blynyddoedd yn fy marn i y cyntaf o'r ddau sydd wedi heneiddio orau a'i agwedd o at ryfela sydd fwyaf poblogaidd o hyd. Yn wir, yn fwy na dim arall, llwyddiant anhygoel John Williams fel heliwr i faes y gad a gadwodd ei enw'n fyw. Ond beth am Puleston? A faint sy'n ei gofio erbyn hyn? Penderfynais y byddwn i, o leiaf, yn dechrau gyda'r drychineb.

CYDNABOD

Ar wahân i wrthrych y gyfrol, Puleston, mae fy niolchgarwch pennaf i'w ddisgynyddion am iddyn nhw gadw a diogelu'r deunydd anhygoel a adawodd ar ei ôl a rhoi perffaith ryddid i mi i loffa drwy'r archif. Hoffwn ddiolch yn arbennig i David Puleston Williams – gorwyr i Puleston ac edmygwr mawr ohono - am iddo gatalogio'r cyfan, diogelu'r cyfoeth lluniau a gwarchod creiriau prin. Heb ei gymorth a'i gyfarwyddyd o fyddai creu'r gyfrol, fel y mae hi, ddim wedi bod yn bosibl i mi.

Tu allan i'r archif, fel sawl tro o'r blaen, bûm ar ofyn yr un sefydliadau: Archifdy a Llyfrgell Prifysgol Bangor, Archifdy Gwynedd yng Nghaernarfon a Dolgellau a Gwasanaeth Llyfrgell Gwynedd yng Nghaernarfon. Gan i Puleston gyfrannu cymaint gydol oes i gylchgronau a phapurau newydd, a bod blynyddoedd y Rhyfel Mawr yn gymaint rhan o'i stori, unwaith eto bu gwaith Llyfrgell Genedlaethol Cymru yn rhoi cylchgronau a phapurau newydd 1914-18 ar-lein o gymorth amhrisiadwy.

Unwaith yn rhagor, rhaid cydnabod cefnogaeth hael

Cyngor Llyfrau Cymru. Fel gyda nifer o gyfrolau erbyn hyn, manteisiais yn fawr ar garedigrwydd ac arbenigedd Marred Glynn Jones, Golygydd Creadigol, a chymorth parod W. Gwyn Lewis a fu'n cywiro ar fy rhan. Bu Gwyn - Golygydd *Cyfansoddiadau a Beirniadaethau Eisteddfod Genedlaethol Cymru* erbyn hyn – yn gwneud y gymwynas i mi er dechrau'r Wythdegau. Fel gyda phob cyfrol o'm heiddo, dibynnais ar fy ngwraig, Nan, am lu o gymwynasau; yn bwrw golwg dros bethau, a'r tro yma'n sganio a thocio'r dros gant a mwy o luniau ar gyfer y dylunio. Rwy'n arbennig o ddiolchgar i Dylan N. Jones a Chymdeithas Dreftadaeth y Bala a Phenllyn yn rhoi at fy nefnydd gasgliad helaeth o luniau o Arddangosfa Puleston fu yn y Bala yn 2012. Fy niolch, hefyd, i Elgan Griffiths am ei waith yn dylunio'r gyfrol ar gyfer ei hargraffu a gwneud hynny gyda gofal a graen.

Cyn belled ag y mae unigolion eraill yn y cwestiwn, y bûm ar eu gofyn am lun neu wybodaeth, bu'n amhosibl cynnwys pob enw ond dydi fy niolchgarwch i ronyn llai. Ceisiais gyfeirio at bob un bob tro y dyfynnwn o'u gwaith a chydnabod fy ffynonellau yn y nodiadau sydd ar derfyn y gyfrol.

Bu Gwasg y Bwthyn – o dan wahanol enwau, dros wahanol gyfnodau, mewn gwahanol safleoedd - naill ai'n cyhoeddi neu'n argraffu ar fy rhan er diwedd y Chwedegau. Mae gen i gof mynd yno'r waith gyntaf, 'mewn blys mynd trwy, ac ofn' gyda'r gyfrol gyntaf. Dymuniadau gorau i'r Wasg, a hithau newydd symud i safle newydd yng Nghaernarfon.

Harri Parri

COEDEN DEULU

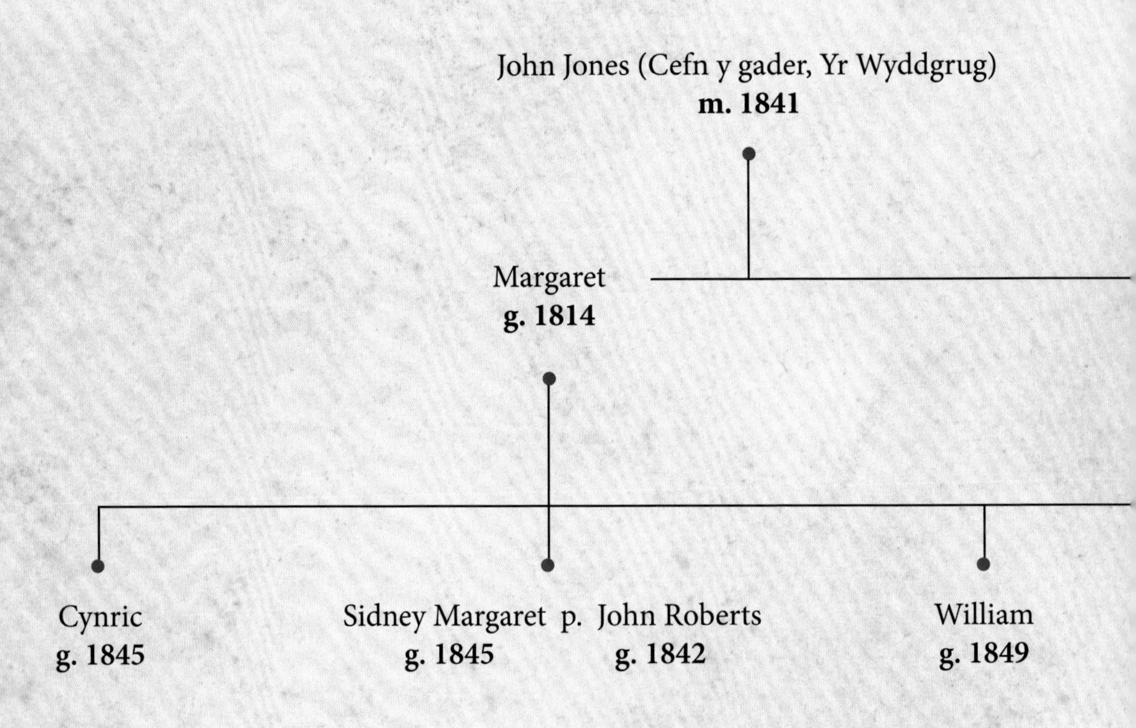

Thomas (Glan Alun)
g. 1811

John Thomas
g. 1851

Annie p. John Puleston Jones
g. 1856 **g. 1862**

COEDEN DEULU

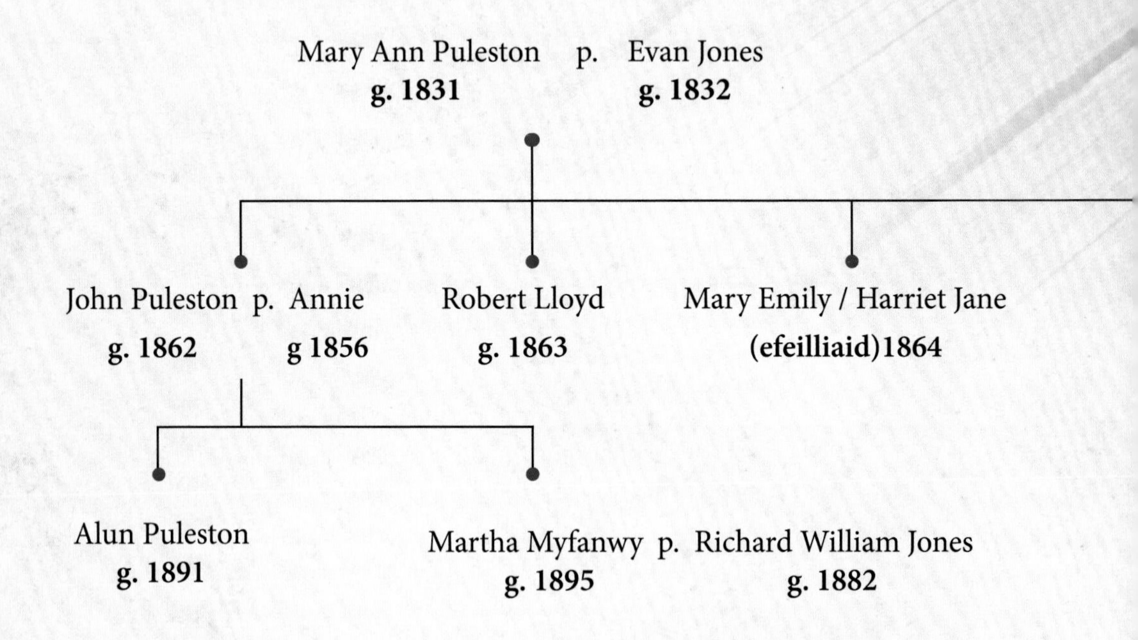

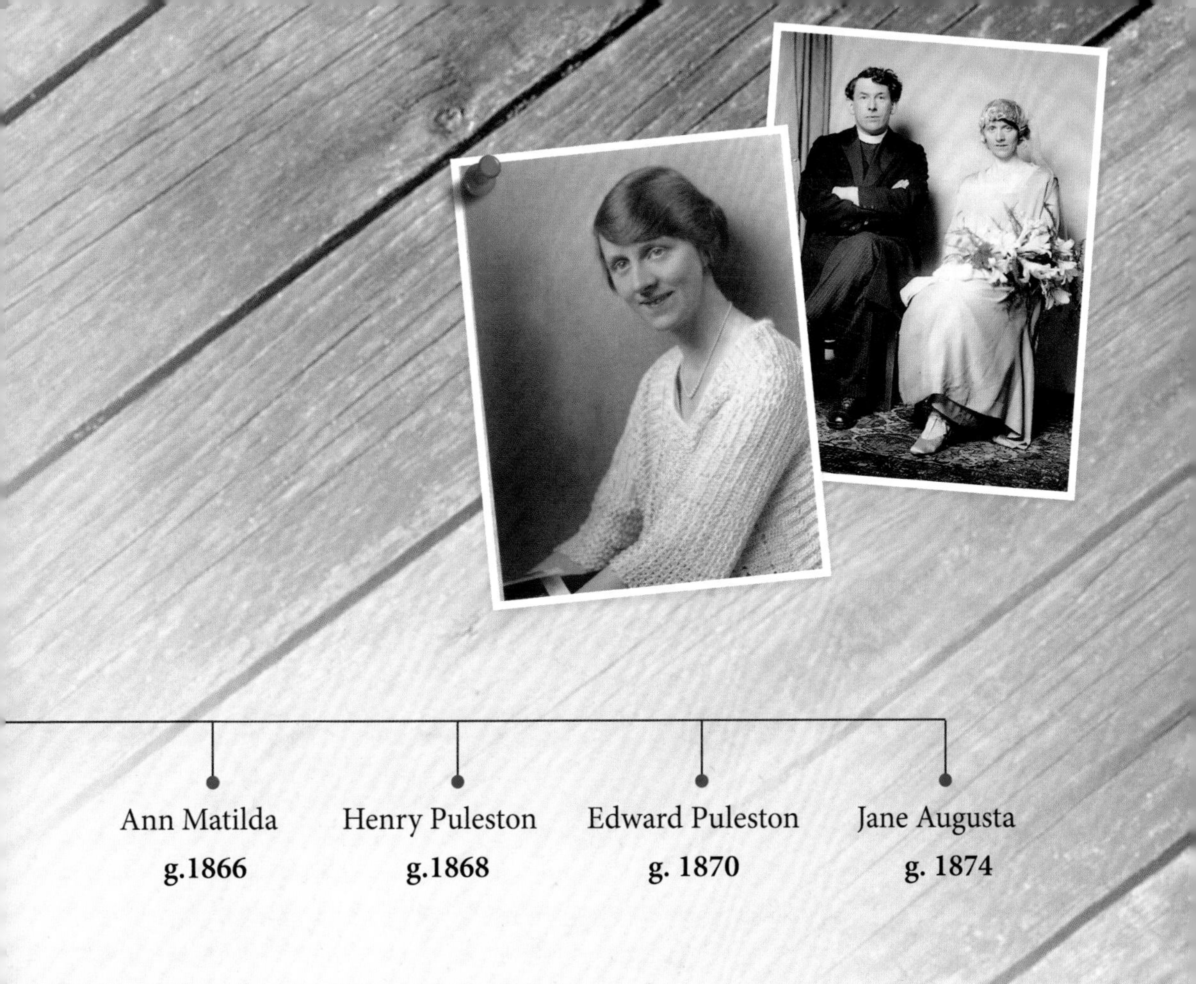

Ann Matilda
g.1866

Henry Puleston
g.1868

Edward Puleston
g. 1870

Jane Augusta
g. 1874

SYRTHIO AR WYDR – A GWAETH

Joseph Thomas, Carno, oedd yn llenwi pulpud Bethel y nos Sul y bu'r drychineb.[1] Roedd 'llenwi' yn eithaf disgrifiad serch fod digon o le yn y pulpud hwnnw i gynnwys tri o rai o'r un maint ag o. Yn ŵr tal a bolgrwn, gwargamai ymlaen dros y pulpud â'i nam llefaru'n meddalu pob 'r' yn 'dd' wrth iddo ddarllen o'r Gair, 'Ydd Addglwydd sydd yn agoddyd llygaid y deillion.'

Mae cofnod amdano, unwaith, yn dechrau pregethu ym Machynlleth wrth i'r cloc daro saith; a'r cloc wedi taro naw cyn iddo lawn ddarfod.

Fel pregethwr â mynd arno, bu'n ymdrech i'w gael i'r Bala i dreulio Sul ym Medi 1863 a chynnal dwy oedfa yn hen gapel y Methodistiaid yn y dref. 'O deuwch i'r dyfroedd, bob un y mae syched arno,' oedd ei destun yn oedfa'r bore. Gan gymaint ei ddawn, ar eu ffordd adref aeth rhai o'r llymeitwyr pregethau i'w ddynwared, 'Manna nefol sy addna i eisiau, dŵdd ddhedegog gloyw byw.'

Os oedd yna'n agos i 500 yn oedfa'r bore roedd yno, meddir,

dros 600 yn oedfa'r hwyr. Yn eu plith roedd Jane Elizabeth, 25 oed, merch hynaf Robert Jones, Gelli Ffrydan, a oedd yn berchennog ffatri wlân yn y dref. Evan Jones, Tremaran, oedd yn gyfrifol ei bod hi yno o gwbl. Pythefnos ac ychydig ddyddiau oedd yna er i'w briod, Mary Ann – a oedd yn gyfyrderes i Jane Elizabeth – eni'i hail blentyn, Robert Lloyd. Y Sul cofiadwy hwnnw bu Jane, druan, yn Nhremaran er ben bore yn dwndian y babi ac yn tendio ar y fam a oedd yn dal yn ei gwely; ar y cyd â cheisio cadw John Puleston, y cyntaf anedig, rhag mynd dros ben llestri.

'Ewch chi i'r oedfa heno, Jane,' cymhellodd Evan Jones yn groes i'w reddf a'i arfer. 'Mi ge's i lenwi fy nghwpan y bore 'ma. Ma' Mary a minne'n awyddus i chi gael cyfle i wrando un o hoelion wyth yr enwad.'

'Wel, os byddwch chi'n iawn hefo'r gwarchod,' atebodd Jane Elizabeth, gan neidio at y cynnig, serch ei bod hi wedi blino'n dwll. Byddai rhai o fyfyrwyr Coleg y Bala yno, i ddysgu'r grefft o bregethu fel Joseph Thomas ac fe allai hithau sbecian rhwng ei bysedd adeg y weddi i weld y dewis a oedd ar gael.[2]

Sbecian rhwng ei bysedd neu beidio, fis yn ddiweddarach roedd hi wedi syrthio mewn cariad ag Evan Jones, argraffydd a newyddiadurwr a ddaeth, yn ddiweddarach, yn weinidog eglwys luosog Moreia, Caernarfon.

Cwestiwn Iesu i Bartimeus ddall oedd pwnc y bregeth yn oedfa'r hwyr, 'Beth a fynni i mi ei wneuthur i ti?' a'i ateb yntau, 'Athraw, caffael ohonof fy ngolwg.' Y darnau dramatig a apeliai at Jane Elizabeth, yn fwy felly na'r traethu hir. Yr hen Joseph Thomas – ac roedd yna flwyddyn a thridiau eto cyn y gwelai'i hanner cant – yn dynwared Iesu'n rhoi'i ddwylo ar lygaid y truan a'r dall, wedi iddo gael ei olwg yn ôl, yn dawnsio'i ddiolchgarwch. Yna'r pregethwr â'i floedd, 'Ac mi gafodd ei olwg yn ôl, 'mhobol i!' Mae hi'n gwbl bosibl mai dyna'r union foment, yn flwydd a hanner, y collodd John Puleston ei olwg yntau.

Y STORI O'I CHWR

I bob pwrpas, colli ei olwg fu dechrau'r daith i John Puleston. Gan mai deunaw mis oedd o ar y pryd, go brin felly y cofiai iddo, unwaith, weld pobl a phethau, gweld y gwahaniaeth rhwng goleuni a thywyllwch, y gwahaniaeth rhwng dydd a nos. Fel hyn, yn 1929, y cofnododd cofiannydd Puleston y digwyddiad, yn union fel y cafodd yr hanes gan y teulu:

> Yn ystod awr y gwasanaeth bu tro poenus yn y tŷ. Cafodd John a oedd yn ddeunaw mis oed, lestr gwydr i'w law, a syrthiodd nes torri'r llestr yn ddarnau, ac aeth darn bychan o wydr i gannwyll ei lygad. Galwyd y meddyg, y Dr. Pughe, yn ddiymdroi, a gwnaeth bob ymdrech i wella'r clwyf. Aethpwyd â'r plentyn yn y man at un o feddygon gorau Lerpwl, a gwelodd hwnnw fod yn rhaid tynnu'r llygad briwedig, a thynnu'r lygad arall hefyd.[2]

Y Berth, Llanbedr Dyffryn Clwyd. Tŷ o faint, man ei eni a chartref ei nain o ochr ei fam.

‘Galwyd y meddyg,’ meddai’r adroddiad. Sgwn i oedd o yn yr oedfa ym Methel y noson honno ac iddo gael ei alw i Dremaran, a oedd dros y ffordd i’r capel, cyn i’r gwasanaeth derfynu? Neu a fu iddo gael ei gyrchu yno yn fuan wedi’r ddamwain? Gwewyr i feddyg profiadol, heb sôn am un llai profiadol, fyddai wynebu damwain mor enbyd a’r bychan, yn ddiamau, yn sgrechian ei anesmwythyd.

Y meddyg ifanc a ‘wnaeth bob ymdrech i wella’r clwyf’ oedd Hugh Richard Pughe, 27 oed. Yn ôl ei ewyllys, bu farw bum mlynedd yn ddiweddarach, yn Amwythig.[3] Daethpwyd â’r corff yn ôl i’r Bala, i’w gladdu ym Mynwent Eglwys Crist yn y dref. Pwy wedyn oedd ‘un o feddygon gorau Lerpwl’ a wnaeth y penderfyniad enbyd i dynnu’r *ddau* lygad? Fy ngreddf i, o gofio’r cyfnod, ydi tybio y byddai’n Gymro Cymraeg, gyda chysylltiad fe ddichon â’r Bala neu’r cyffiniau, a’i fod o bosibl yn Fethodist Calfinaidd. Bryd hynny, ystyrid fod i berthyn i’r un enwad ei fanteision.

Ond i ddechrau’r stori o’i chwr, cafodd John Puleston Jones ei eni ar 26 Chwefror 1862, yn y Berth, Llanbedr Dyffryn Clwyd, cartref ei nain o ochr ei fam. Ymhen ychydig fisoedd symudodd y teulu i’r Bala ac i Tremaran yn Heol Tegid. Mae’r tŷ yno o hyd a’r enw i’w weld yn glir uwchben ei ddrws. Yno, ar 28 Awst 1863, y ganwyd ei frawd, Robert Lloyd. Yna, ymhen blwyddyn, y teulu yn symud i London House yn y Stryd Fawr i gadw busnes.

Bu’n ofynnol i’r rhieni wynebu dwy brofedigaeth arall yn fuan wedyn a’r ddwy, ar un wedd, yr un mor ddwys â John

Tremaran, Heol Tegid, lle bu'r codwm enbyd.

Puleston yn colli'i olwg, ac yn sicr yn fwy terfynol. Gwell eu cofnodi. Bu farw Harriet Jane, un o efeilliaid, 29 Awst 1865, yn naw mis oed, ac Ann Matilda, 8 Hydref 1868, yn ddwy oed. Dydi'r cofiannydd ddim yn nodi pa afiechyd a ddaliodd Harriet Jane. Mae'n nodi mai'r 'clefyd coch' oedd achos marwolaeth Ann Matilda ac i'r afiechyd gipio 'tua chant o blant yr ysgol ymaith mewn byr amser, dau a thri a phedwar o'r un teulu'.[4] Cafodd y ddwy fach, hwythau, eu claddu ym Mynwent Eglwys Crist.

Yn ôl y dystysgrif, yng nghapel yr Annibynwyr Saesneg yn Rhuthun y priododd y rhieni ar 26 Mawrth 1861: Evan Jones o'r Bala, 30 oed, yn adeiladydd a Mary Ann Puleston o'r Berth, Llanbedr ger Rhuthun, yn 28 oed a'i mam yn weddw amaethwr. Dyna syndod oedd darganfod mai 'Dr. Pughe' oedd y gwas priodas.[5]

MAM JOHN PULESTON

Nid merch y bwthyn tlawd o bell ffordd oedd Mary Ann, ac nid gwraig gyffredin mohoni. Mae'r *Bywgraffiadur* yn olrhain ei llinach, teulu'r Pulestoniaid, yn ôl i'r drydedd ganrif ar ddeg ac i dreflan o'r enw Puleston – Pilston, unwaith – yn Sir Amwythig.[6] Llwyddodd un arall o'r disgynyddion, Haydn Puleston Jones, i fynd yn ôl dros 26 o genedlaethau hyd at un Hamo de Puvelesdon a oedd yn byw yno yn y ddeuddegfed ganrif. Yn wir, mae'n olrhain y teulu yn ôl hyd at Owain Glyn Dŵr, a chyn hynny. Dros y canrifoedd, bu'r teulu'n fawr ei ddylanwad yn uchelwyr, tirfeddianwyr, siryddion, a gwleidyddion. O fyw mor agos i'r ffin, ymbriododd rhai â Chymry Cymraeg a dod yn Gymreig o ran eu

Ei fam, ei gwisg a'i gwedd yn dangos yr urddas a berthynai iddi.

gwelediad ac o ran eu hiaith. Un felly'n union oedd Mary Ann, mam Puleston.[7] Yn nyddiau Edward y Cyntaf apwyntiwyd Syr Roger de Pyvelsdon yn Gwnstabl Castell Caernarfon a Chasglwr Trethi i'r Brenin

Yn ystod Ffair Ŵyl Fihangel, Medi 1294, ymosododd gwrthryfelwr o Fôn ar y dref a dienyddiwyd Syr Roger.

Disgrifiwyd ei thad, John Puleston, fel 'well-to-do farmer'.[8] Dydi'r cofiant ddim yn dweud mwy nag iddi gael 'yr addysg orau a oedd yng nghyrraedd ei rhieni', heb nodi ar ba gyfnod nac ym mhle, a bod 'ei gwelediad yn ehangach na chylch Dyffryn Clwyd lle magesid hi, ac na'r Bala lle bu byw.' Merch ffarm y Ffridd yn Nhreuddyn oedd ei mam, Mary.

Yn Eisteddfod y Gwyneddigion, a gynhaliwyd yn Ninbych, 7-10 Awst 1860, wyth mis cyn ei phriodas, enillodd Mary Ann wobr o bum gini am gerdd heb fod dros 100 llinell i'r 'Ferch Rinweddol'.[9] Drannoeth yr Eisteddfod, am hanner awr wedi wyth y bore, fe'i hurddwyd â'r enw barddol, Mair Clwyd. Bûm yn chwilio am ragor o'i gwaith fel bardd a llenor ond heb ddarganfod fawr ddeunydd. Awgryma'r cofiant mai 'yn ieuanc' y cyfrifid hi 'yn llenores o safon uchel'. Wedi geni wyth o blant, gwarchod a hyfforddi John Puleston ar ben hynny, mae'n ddiamau i'w bywyd, serch help morynion, fod yn fwy na llawn heb iddi ddal ati i lenydda.

TAD JOHN PULESTON

O ran ei anian, gŵr busnes a gwleidydd oedd ei dad, Evan Jones. Er i mi loffa drwy gofnodion a godwyd o Feiblau'r Teulu mae'n anodd bod yn gwbl sicr ynghylch blwyddyn ei eni. Yn ôl un cofnod, 1 Chwefror 1830 oedd y dyddiad, er i'r

Ei dad, gŵr busnes a gwleidydd - ymhlith pethau eraill.

nodyn hwnnw gael ei groesi allan gan rywun yn ddiweddarach. Mewn man arall, yn yr un Beibl, nodir mai 1829 oedd y flwyddyn, ac mae'r dyddiadau sydd ar ei garreg fedd yn ategu hynny.[10]

Un o Drawsfynydd oedd Robert Jones, ei dad, a'i fam, Jane, yn hanu o Ffestiniog. Yno, yn eglwys y plwyf, y bu'r briodas. Yna, y ddau'n ymfudo i'r Bala. Yn ôl y cofiant, ni chafodd y tad 'ddiwrnod o ysgol erioed'. Fodd bynnag, gofalodd fod o leiaf ddau o'i blant, Evan a Robert, yn cael y cyfle.[11] Go brin i hynny, yn ôl popeth a ddarllenais i amdano, wneud ysgolhaig o Evan, ond rhoddodd iddo allu i ymresymu a chynllunio, i areithio a gweinyddu. 'Bychan ydoedd o gorff,' yn ôl y cofiant, 'ond fel "arian byw" drwyddo, yn chwim ei gerddediad, yn graff ei olwg, ac yn barod ei air.' Yna ychwanegir, 'Carai'r Bala â'i holl galon.'

Peintiwr oedd o ran ei brentisiaeth ond datblygodd i fod yn un o wŷr busnes amlyca'r dref a'r cylch. Wedi symud i London House cadwai'r teulu fusnes gwerthu dodrefn, papur wal a defnyddiau adeiladu o bob math. Mor gynnar â 1875, mewn dogfen trosglwyddo eiddo, ceir Evan Jones yn talu cymaint â £2,000 – swm anferth bryd hynny – am dai a siopau yn Stryd Fawr y Bala.[12] Ceir ei enw yng nghyfeirlyfrau masnachwyr y cyfnod, megis y *Sutton's Directory* a'r *Postal Directory* ar gyfer

Meirionnydd a Maldwyn. Daeth yn adeiladwr a masnachwr, arwerthwr a phrisiwr, gwerthwr tai, asiant yswiriant a thirfeddiannwr. Evan Jones fu'n bennaf gyfrifol am ddod â dŵr i lawr o Lyn Arenig Fawr at ofynion pobl y Bala.

Yn nechrau'r nawdegau, prynodd Evan Jones stad Arenig a oedd tua naw i ddeg milltir o dre'r Bala ar y ffordd allan i gyfeiriad Ffestiniog a Thrawsfynydd. Cynhwysai 410 erw o dir, tŷ ffarm a chwarel ithfaen. Ar osod roedd y chwarel ac am gyfnod hir bu'n weithle o gryn bwys:

Wrth Orsaf yr Arenig
Mae chwarel newydd bron,
Agorwyd yn ddiweddar
A cherrig geir yn hon -
Sef cerrig celyd 'nithfaen
Rhai goreu eu parhad,
I'r dim i adgyweirio
Ddrylliedig ffyrdd ein gwlad.

Fel hyn mae olwyn masnach
Yn dal i droi o hyd, –
Trwy gario o'r clogwyni
Er llenwi pantle'r byd.
Fel hyn y mae blynyddau
Yn dirwyn ar eu taith,
O hyd daw rhywbeth newydd
I gadw'r byd mewn gwaith.[13]

Chwarel Arenig ar lethrau'r Arenig Fawr yn y chwedegau. Gweithle prysur yn nyddiau Evan Jones, yn ymestyn dros 210 cyfer ac ar osod ganddo.

Yn ogystal, cododd dŷ newydd, helaeth, yno a'i alw'n Bodrenig – Plas Bodrenig fel y cyfeirid ato'n aml – a symudodd y teulu yno i fyw.

Yn nechrau'r Nawdegau adeiladodd glamp o dŷ yno, Bodrenig, dyna gartre'r teulu wedyn, o leiaf o 1894 ymlaen.

Yn ifanc, wedi cael yr olwynion i droi fel petai, ac eraill yn sefyll yn y bwlch, aeth Evan Jones i ymroi i fywyd cyhoeddus. Bu'n ynad heddwch ac yn aelod selog o'r Cyngor Sir am flynyddoedd meithion gan eistedd ar bwyllgorau fyrdd a'i ethol yn Gadeirydd y Cyngor yn 1907.

Fel Rhyddfrydwr brwd, ymrodd i wleidydda'n ogystal â chael ei benodi'n drysorydd Cyngor Cenedlaethol Rhyddfrydwyr Cymru. Disgrifiwyd y math hwn o wleidyddiaeth yn ail hanner y bedwaredd ganrif ar bymtheg fel 'yr Anghydffurfiaeth wleidyddol Gymreig a gyhoeddid yn uniongyrchol neu'n anuniongyrchol o'r pulpudau.'[14]

Yn unol â'r gwerthoedd hynny, safai Evan Jones dros hawliau'r unigolyn, gwella amgylchiadau'r tlodion gydag addysg yn ddiddordeb arbennig iddo. Yn dipyn o eithriad yn ei gyfnod, credai fod anghenion a diddordebau'r gwas cyn bwysiced ag eiddo'r amaethwr a'i cyflogai.

Ymddangosodd ei enw yn y papurau newydd adeg gwrthwynebu Deddf Addysg 1902 ac ymgais Llywodraeth Geidwadol y cyfnod i ad-drefnu addysg a gwarchod ysgolion eglwysig.[15] Cynhyrfwyd yr Anghydffurfwyr a bu brwydr hyd at sefydlu ysgolion annibynnol – 'revolt schools' fel y'u gelwid – yn arbennig ym Meirionnydd ac Evan Jones ar flaen y gad. Argraffwyd cerdyn gyda llun, cartwnaidd braidd, o ysgol Llawrybetws gyda staff yr ysgol tu allan ac 'E. Jones Ysw, YH, Bala' yn sefyll ar y dde.[16] Ar

Derbyniai Evan Jones (a'i wraig, ar brydiau) wahoddiadau i ddigwyddiadau mawreddog, megis cinio gydag Arglwydd Faer Llundain, 'full dress or uniform', a chydag Uchel Siryfion.

Capel Tegid, 'Capel Evan Jones', a adeiladwyd o 1865 ymlaen. I ddod yn gadeirlan Penllyn serch simsanrwydd y tŵr.

sail ei weithgarwch daeth yn enw adnabyddus tu allan i'w gynefin, a thu draw i'w wir ddiddordebau, fe ddichon. Yn yr archif anhygoel a ddiogelodd y teulu ceir cardiau gwahoddiad iddo, a'i wraig ar brydiau, i ddigwyddiadau mawreddog ac uchelael.

I Evan Jones, yr echel i'r cyfan o'i weithgarwch oedd ei argyhoeddiadau crefyddol, gyda'r capel lleol, a'i ddigwyddiadau, a gweithgareddau'r enwad a garai, yn gyrru'r argyhoeddiadau hynny yn eu blaenau. Pan aed ati o 1865 ymlaen i godi adeilad newydd yn lle'r hen Fethel, a'i alw'n 'Capel Tegid', Evan Jones oedd yn goruchwylio'r gwaith. Y pensaer oedd W. H. Spaul o Groesoswallt.

Fe gynlluniodd W. H. Spaul nifer o gapeli ac o leiaf un sinema; yr un flwyddyn, 1867, cynlluniodd Barc Grosvenor yng Nghaer a'r Coleg yn y Bala.

A sôn am adeilad. O ran ei bensaernïaeth roedd o'n gymaint o gadeirlan ag oedd o gapel, gyda'i dŵr pigfain, yr aelodaeth tua'r drydedd ran o boblogaeth y Bala a lle ynddo lle gallai hanner pobl y dref eistedd yn gyfforddus.[17] Wn i ddim sut y teimlai'r goruchwyliwr, chwaith, pan welwyd, ymhen dwy flynedd ar ôl ei adeiladu, fod y tŵr unionsyth yn dechrau pengamu. Bu hwnnw, gydol y blynyddoedd, yn gostus i'w gadw ar ei draed hyd at yr orfodaeth i'w ddymchwel yn y flwyddyn 2000. Beth bynnag am hynny, yn 1878 dewiswyd Evan Jones i fod yn un o flaenoriaid yr eglwys.

'Y *mae* yn gapel mawr; y mae lle i gryn fil i eistedd ynddo, a chyda cymorth "meinciau yn yr ali" fe ddeil lawer mwy ac fe *welais* lawer mwy ynddo lawer tro': R. T. Jenkins yn 1957.

STORI DAU OEDD HI

Byddai Mary Ann yr un mor deyrngar i'r achos ac yn fwy defosiynol ei hysbryd, o bosibl. Arni hi, wrth gwrs, y disgynnai pen tryma'r baich o warchod y plentyn ac ymdrin â'i anabledd. Fe ddwedwn iddi gyflawni gwyrthiau: ymarfer sgiliau a therapïau cydnabyddedig heddiw, a hynny yn ôl yn ail hanner y bedwaredd ganrif ar bymtheg:

> Dysgodd ei fam iddo ymwisgo, ymborthi, ac ymlwybro yn y tŷ gan ddal ei hun i fyny yn syth a thaflu ei ysgwyddau yn ôl wrth nesau at risiau. Ni chai neb wneuthur drosto ganddi hi yr hyn y gallai ef ei wneuthur ei hun. Er geni i'r teulu wedi hyn chwe phlentyn, ac er bod rhai ohonynt wrth law yn gyson at negeseuau yn y tŷ, ar John y galwai'r fam i redeg am y peth yma a'r peth arall. Pe collid brws neu lwy neu stud, y fo a gai'r pleser o chwilio amdanynt, a

Rhieni Puleston.

llwyddai'n ddifeth i ddyfod o hyd iddynt . . . Trwy graffter eithriadol y fam, arbedwyd John rhag bod yn aelod di-ymadferth o gymdeithas, meithrinwyd ynddo'n gynnar y ddawn i fod yn annibynnol ar gymorth eraill, a chadwyd ei naturioldeb.[18]

Mae'n glir felly mai dewis bwriadol y teulu o'r dechrau, er lles y plentyn, oedd osgoi manylu am a ddigwyddodd a chanolbwyntio ar ei gael i ddygymod â'i amgylchiadau. Cyn hir, roedd yr hogyn bywiog i fyw yn ei groen ei hun a magu hynodrwydd ar sail ei natur a'r athrylith a berthynai iddo.

Welais i'r un gair, chwaith, yn disgrifio ymateb y rhieni i'r drychineb. Na hanes am unrhyw hunanymholi a fu o ganlyniad iddi. Ynni ac afiaith y tad, efallai, yn ei gadw rhag oedi gyda gormod euogrwydd a'r sicrwydd cred a berthynai i'r fam yn ei chynorthwyo i warchod a meithrin ei mab. Mor bell ag roedd natur y ddau yn y cwestiwn, wedi ymchwil, yr annhebyg wedi tynnu at ei gilydd oedd hi. O'r herwydd, derbyniodd fendithion o'r ddeutu:

> Oddi wrth ei dad yr etifeddodd John Puleston Jones yr egni byw effro oedd ynddo, yr iechyd oedd yn ei ysbryd, a'r medr celfydd a ddangosai fel saer a pheiriannydd.
>
> Oddi wrth ei fam yr etifeddodd y nerth meddwl, y pwyll a'r urddas boneddigaidd a'i nodweddai. Anaml y cydgyferfydd yn yr un person y cyfuniad hwn o deithi meddwl.[19]

Ac yntau bellach wedi codi'n bump roedd yn rhaid agor mwy ar y drysau a chaniatáu iddo gamu dros y trothwy i'r byd lletach a oedd yn disgwyl amdano. 'Y Bala dirion deg' a fyddai'r byd hwnnw – i ddechrau.

Y Bala, ar y pryd. Tref y daeth 'y plentyn dall' i nabod pob llathen ohoni, meddir, heb erioed ei gweld.

YN Y BALA DIRION, DEG

I mi, does yna'r un awdur wedi rhoi gwell cip ar yr hinsawdd yn nghapeli tre'r Bala yn ystod plentyndod ac arddegau Puleston nag R. T. Jenkins.[1] Gwnaeth hynny gydag artistri, direidi a pheth rhagfarn. Eto, roedd Puleston yn tynnu at ei 20 oed, ac wedi cefnu ar y dref i raddau, pan gyrhaeddodd 'Rhobet-Tomos' yno ym mis Mai 1888 yn blentyn amddifad chwech oed. Felly, adnabyddiaeth o deulu Puleston oedd ganddo. Ond ychydig iawn, dybiwn i, a newidiodd y Bala na ffordd o fyw ei thrigolion yn ystod degawdau olaf Oes Fictoria.

'Syniad fy mhobl i [ei deulu] am y Bala oedd ei bod hi'n heigio o ddrygioni o bob math, ac yn brifddinas plant drwg': R. T Jenkins.

AM YR YSGOL RAD SABOTHOL

Mae'n ddiamau mai'r addysg allanol gyntaf i John Puleston ei derbyn oedd un yr Ysgol Sul. Serch hynny, paragraff yn unig a neilltuodd awdur y cofiant i sôn am ddylanwad honno arno; ac yntau'n sgwennu yn 1929 tybiai, yn ddiamau, y cymerid hyn i gyd yn ganiataol. Pan oedd John Puleston newydd groesi'i bump oed roedd yr addoldy newydd wedi'i adeiladu. Mae'n fwy na thebyg mai i Gapel Tegid yr aeth Puleston i'r Ysgol Sul am y waith gyntaf. Saith mlynedd yn ddiweddarach, yn 1874, gosodwyd cerflun Mynorydd o Thomas Charles, pensaer yr Ysgol Sul, yn union o flaen y capel â Beibl yn ei law.[2]

Ychydig iawn o ddylanwad a gafodd yr Ysgol Sul a gynhelid yng Nghapel Tegid ar R. T. Jenkins: 'y mae'n ddrwg gennyf ddweud na allaf ganmol rhyw lawer.'[3] Canmolai Puleston, fodd bynnag, un o'r athrawon a fu arno yn yr Ysgol Sul – William Davies y Teiliwr, bardd gwlad o fri a gŵr medrus ar englyn. Ar ochr y galeri yr oedd y dosbarth lluosog hwnnw a bechgyn ynddo rhwng deuddeg a deg ar hugain oed, a Puleston yr ieuengaf ohonynt. Wrth gwrs, o gofio'r cyfnod, un dull dysgu oedd adrodd adnodau testunau a darnau o bregethau oddi ar y cof. Yn anabl i weld, bu cofio a llefaru yn yr Ysgol Sul yn anadl bywyd i John Puleston.[4] Ei fam a welodd fanteision hynny, a'i sgiliau dysgu rhyfeddol hi a'i rhoes ar ben y ffordd:

> Ei fam a ddysgodd y wyddor iddo, ac a ddysgodd iddo ddarllen y llyfrau teip Moon ar gyfer deillion. Eglurai hi bob gair newydd yn llawn iddo, a disgrifiai bopeth mewn digon o fanylion iddo gael darluniau cywir i'w feddwl. Ei haddysg hi a gliriodd y ffordd iddo fanteisio ar ysgol a choleg . . . Cynorthwyodd iddo ddysgu ar gof rannau helaeth o'r Ysgrythurau, ac adroddai yntau hwynt yn gyhoeddus yn nechrau'r Ysgol Sul.[5]

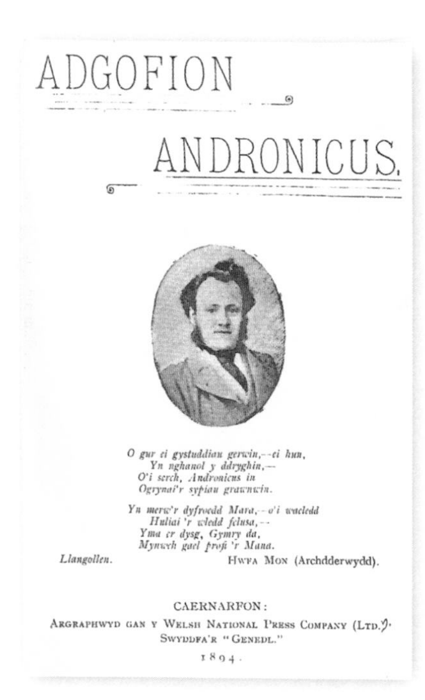

ADGOFION

ANDRONICUS.

O gur ei gystuddiau gerwin,--ei hun,
Yn nghanol y ddryghin,—
O'i serch, Andronicus in
Ogrynai'r sypiau grawnwin.

Yn merw'r dyfroedd Mara,--o'i waeledd
Huliai 'r wledd felusa,--
Yma er dysg, Gymry da,
Mynwch gael profi 'r Mana.

Llangollen. HWFA MON (Archdderwydd).

CAERNARFON:
ARGRAPHWYD GAN Y WELSH NATIONAL PRESS COMPANY (LTD.)
SWYDDFA'R "GENEDL."
1894.

Un o gylch y Bala oedd John Williams, Andronicus, yn fasnachwr ym Manceinion. Yn 1894 cyhoeddodd atgofion prin a hynod ddiddan am fro ei febyd.

A MWY

Faint bynnag fu dylanwad yr Ysgol Sul arno yn blentyn, o ddarllen y cofiant, yr argraff a geir ydi iddo fanteisio llawn cymaint, os nad mwy, wrth wrando sylwadau a phrofiadau mynychwyr y Seiat yng Nghapel Tegid:

> Noson bwysig yn y Bala fyddai nos Fercher oherwydd dyna noson y seiat yn y Capel Mawr. Yr oedd rhaid i bob peth gilio o'r ffordd. Os oedd gwaith i'w wneyd, yr oedd rhaid ei adael i fyn'd i'r seiat. Byddai rhai yn cau drysau eu siopau am awr a hanner er mwyn i'r holl deulu gael myn'd i'r seiat. Gadawai y crydd esgid ar haner ei gwadnu, a'r teiliwr gôt heb orphen rhoddi botymau arni. Gadawent hwythau y myfyrwyr eu Lladin a'u Groeg a'u Halgebrau i fyn'd i'r seiat am awr a hanner.[6]

Y gwir ydi iddo, fel nifer mawr o blant y cyfnod, gael ei ddanfon i'r rhan fwyaf o weithgareddau a digwyddiadau eglwys brysur ac yfed y math hwnnw o ddiwylliant yn ei lawnder. Ei dad, Evan Jones, oedd enaid y digwyddiadau diwylliannol a gynhelid yno. Fe dybiwn i i'r perfformio cyhoeddus mewn digwyddiadau o'r fath roi hyder i'w fab a dirfawr foddhad i'w rieni. Ynghyd â bendithion mwy materol ar dro:

'Yr wyf yn cofio fy hun yn cael fy rhodd gyhoeddus gyntaf yn saith mlwydd oed. Yr oeddwn wedi adrodd darn mor deimladwy nes peri i amryw o'r gynulleidfa grïo. Ond difethais yr effaith rhwng y sêt fawr a fy sêt fy hun trwy agor y pwrs a roisid imi gan foneddiges. Gwaeddais ar fy nhad, 'Mae arian yn hwn, nhad.' [7]

O gofio'r 'bydolrwydd' a berthynai i'r tad – yn ôl R. T. Jenkins, beth bynnag – hwyrach i'r waedd beri mawr ddifyrrwch i'r gynulleidfa a pheri i rai amau fod peth o natur y baedd yn y porchell! Wedi i John Puleston gyrraedd ei 11 oed roedd gwell eto i ddod:

> Yn fachgen unarddeg oed cyfansoddodd Puleston bennill, a'r un diwrnod, Chwef. 15 1873, ysgrifennodd ei fam ef i lawr yn ei dydd-lyfr. Digwyddodd i'r 'Hen Ddoctor' [Lewis Edwards] alw ym Mount Place y diwrnod hwnnw, ac wedi darllen y pennill dywedodd fod hanfodion yr efengyl ynddo a'i fod yn werth ei gyhoeddi yn 'Y Goleuad'.
>
> Af at y Ceidwad Iesu
> Yn edifeiriol iawn:
> Gan geisio am faddeuant
> Er mwyn ei haeddiant llawn.
> Tywalltwyd gwaed Creawdwr
> Ar groesbren yn y fy lle;
> Gwnaf bellach fyw a marw
> Trwy'r gwaed a dywalltodd E. [7]

Lewis Edwards, 1809-1887, diwinydd, pregethwr ac (yn annisgwyl hwyrach) emynydd.

'Mae ffydd yn gwneud pethau'n bosibl a chariad yn gwneud pethau'n haws.' Un o ddywediadau Moody a champ a rhagoriaeth Puleston.

Yn y cofiant swyddogol *The Life of Dwight L. Moody*, a gyhoeddodd ei fab, William, yn 1900, ni cheir unrhyw gyfeiriad at yr ymweliad â'r Bala.

Bryd hynny, gan gymaint y deunydd a fyddai wrth law, doedd hi ddim yn hawdd i gael cyhoeddi gwaith mewn wythnosolyn fel *Y Goleuad*. Ar wahân i gamp plentyn a oedd yn ddall, mae'n fwy na thebyg i ddylanwad yr 'Hen Ddoctor' fod yn gymorth i agor y drws.

Ac yntau'n codi'n 14 oed cafodd John Puleston y fraint o gwrdd ag un o enwau mawr y cyfnod. Rhwng 1867 ac 1875 bu'r efengylydd Dwight L. Moody ar sawl ymweliad â Phrydain ond gan osgoi Cymru bob tro. (Byddai teithio'n anodd iddo a phrinder Saesneg y trigolion, mewn sawl ardal, yn anhawster arall.) Fodd bynnag, yn ystod ymweliad 1875 ac yntau'n aros yn Sir y Fflint, newidiodd ei arfer.[8] Dydd Mawrth, 27 Gorffennaf, ymwelodd â'r Bala. Fel bob amser, gwelodd mam Puleston gyfle i anrhydeddu ei mab; yn union fel mamau heddiw gyda sêr y dydd yn gwthio drwy'r dorf i'w plant gael llofnod neu ysgydwad llaw.

> Pan ymwelodd Mr. Moody â'r Bala, ac y galwyd cyfarfod ar frys yn y Capel Mawr am naw o'r gloch y bore, dychwelai'r Efengylydd yn ei gerbyd ar hyd Mount Place, ac yng nghanol y dyrfa fawr nesaodd Mrs. Evan Jones ato gan arwain ei phlentyn, 'Mr. Moody, will you shake hands with my blind boy?'[9]

A diau iddo wneud cymaint â hynny.

Y BÔRD-SGŴL

I'r Ysgol Frytanaidd, 'Bôrd-Sgŵl' ar lafar, y danfonwyd John Puleston i ddechrau ar ei addysg ffurfiol. Ei ddanfon yno fu'i hanes y diwrnod cyntaf, yn ddiamau, ond cael ei anfon yno, mae'n debyg, a fyddai'i ran o hynny ymlaen. O leiaf, felly y dychwelai: 'Ar ei ffordd adref o'r ysgol, rhedai'n fentrus, ei fraich dde allan i un cyfeiriad, a'r fraich aswy i'r llall, rhag taro yn erbyn neb na dim.'[10]

Roedd yr Ysgolion Bwrdd yn ganlyniad i'r frwydr hir a chwerw a fu rhwng Eglwyswyr ac Ymneilltuwyr ynglŷn â chrefydd yn yr ysgolion a phwy oedd i weinyddu a rheoli addysg yng Nghymru. Erbyn canol y bedwaredd ganrif ar bymtheg, roedd dwy ysgol wahanol mewn sawl ardal: yr Ysgol Genedlaethol dan ofal yr Eglwys a'r Ysgol Frytanaidd (yr un Brydeinig felly) gan mwyaf, ond nid yn swyddogol felly, dan ofal yr Ymneilltuwyr. I radical brwd ac Ymneilltuwr o argyhoeddiad fel Evan Jones, byddai'r dewis o ysgol ar gyfer ei fab yn benderfyniad o bwys iddo ac Ysgol Bwrdd yn ffitio'r gofyn i'r dim.

Darllen, ysgrifennu a chyfrif oedd y prif bynciau, gyda mymrynnau o hanes a daearyddiaeth ac ychydig o ganu. Rhoddodd cyd-ddisgybl iddo ddarlun cofiadwy o ddulliau dysgu'r cyfnod, yn ogystal â'r modd yr addaswyd y maes llafur ar ei gyfer:

> Cymerai John Puleston ei le yn y dosbarth yn hollol fel y plant eraill, ac ni fynnai fod ar ôl mewn unrhyw waith a fyddai ar gerdded gan y dosbarth. Wrth

ddarllen, er enghraifft, darllenai'r athro baragraff, fel esiampl i'r plant: yna galwai ar y plentyn cyntaf yn yr hanner cylch i ddarllen y paragraff, tra gwyliai'r lleill am unrhyw gamgymeriad, ac y disgwylient am archiad yr athro i gywiro. Pan ddeuai tro Puleston i ddarllen, adroddai'r holl baragraff yn berffaith gywir pe na buasai ond un plentyn wedi darllen o'i flaen . . . Gyda Rhif a Mesur wedyn, nid oedd neb cyn gyflymed ag ef, pan ofynnid cwestiwn ar dafod (Mental Arithmetic), rhaid fyddai i'r athro ei atal rhag ateb, er mwyn rhoi cyfle i rai arafach eu meddyliau.[11]

Yr unig wahaniaeth sylfaenol yn ei addysg, o gymharu â gweddill y dosbarth, oedd yr ysbeidiau tawel a oedd ar ei

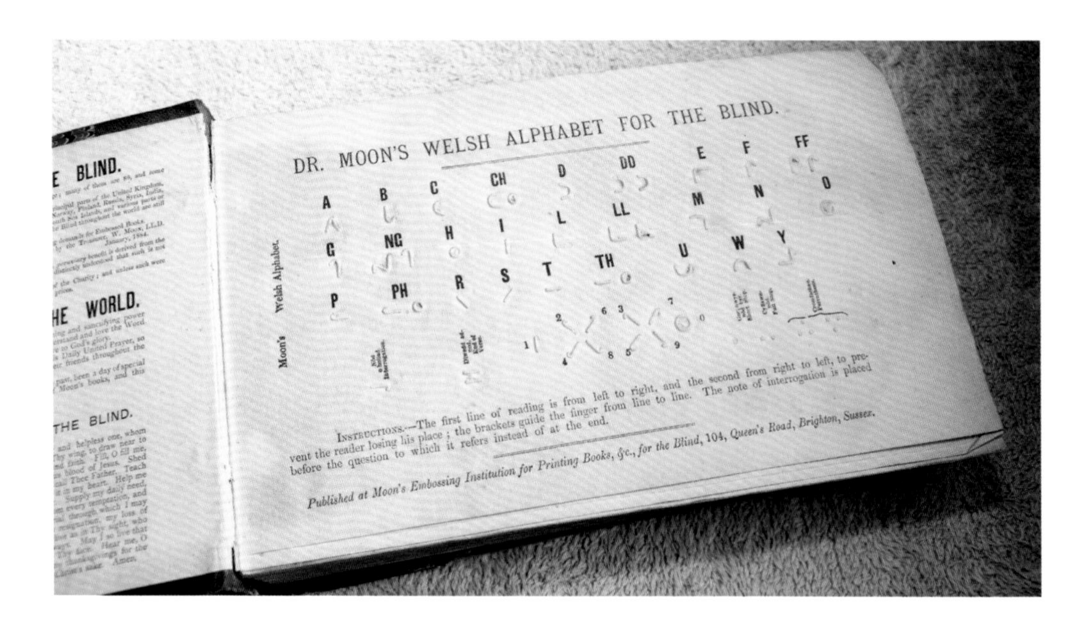

gyfer iddo gael ymarfer ei ddarllen. Gan fod gan y teulu'r moddion, prynwyd llyfrau teip Moon iddo, sef cynllun darllen-drwy-gyffwrdd, a oedd ar y farchnad mor gynnar ag 1845.[12] Llyfrau o'r Beibl oedd y deunydd, yn bennaf, a byddai hynny'n gweddu i ddiwylliant y cyfnod ac yn unol ag argyhoeddiadau ei rieni.

Ym marn y teulu, o leiaf, syrthiodd y darnau i'w lle o'r dechrau un. Ni cheir dim ond canmoliaeth i'r addysg a gafodd, i'r athrawon a fu'n ei hyfforddi ac yn arbennig i garedigrwydd ei ffrindiau ysgol. Fo, yn ôl sawl tystiolaeth, oedd ffefryn pawb:

> Aeth yn fuan yn ddwfn hefyd i serch yr athrawon, a safai cylch ohonynt o'i ddeutu pan ddaeth Llew Tegid i'r cwmni. 'Pwy ddôth yma rŵan, John,' meddai un. 'Lewis Jones,' meddai yntau [a rhyfedd na fyddai wedi rhoi'r 'Mistyr' disgwyliedig o flaen yr enw]. 'Mi clywaf i o yn anadlu.'[13]

Os oedd y teulu'n fawr eu canmoliaeth i'r Bôrd-Sgŵl a'r manteision a gafodd Puleston ynddi, roedd R. T. Jenkins, flynyddoedd yn ddiweddarach, yn fwy cynnil ei ganmoliaeth. Yr esgeulustod o'r lleol a'r Cymreig a'i blinai fwyaf. Nid fod hynny'n eithriad:

> Ond y ddau Lywelyn? Owain Glyn Dŵr? *Dim un gair*! Ni chlywais erioed sôn am Thomas Charles, a fu'n byw, ac a fu farw, yn yr un stryd â'r Bôrd-Sgŵl. Ni chlywais air am feirdd y Bala – ni ddysgwyd imi

> "I dref y Bala'r aeth y bardd", na "*Green* y Bala", na hyd dim o'r cyfryw bethau. Ar wahân i'r map o Benllyn (ac nid wyf yn cofio inni gael *gwers* hyd yn oed ar hwnnw), ni wydden *ddim* am Gymru – ond yr oeddem yn sownd dros ben ar "Europe", a chredwch fi neu beidio, fe fu adeg y gallaswn enwi ichwi enw a phrif dre *pob un* o daleithiau'r Unol Daleithiau![14]

YSGOL TŶ TAN DOMEN

Yn 12 oed aeth John Puleston i'r Ysgol Ramadeg a elwid yn Ysgol Tŷ Tan Domen. Ysgol fechan oedd hi o ran rhif y disgyblion a nifer yr athrawon, gydag chryn anfanteision o ran pensaernïaeth yr adeilad, gyda thri dosbarth mewn un ystafell heb hyd yn oed len i'w gwahanu. Mor bell ag yr oedd y maes llafur yn y cwestiwn, digon tebyg oedd y dewis o bynciau i'r hyn a ddysgid yn yr ysgolion elfennol.[15]

Unwaith eto, gydag ewyllys da yr athrawon a chefnogaeth ei rieni, mae'r bachgen yn disgleirio'n rhyfeddol. 'Yr oedd ei rieni yn ddigon cefnog,' meddai'r cofiant, 'i sicrhau iddo bob cyfleusterau y gallai arian ei brynu.' Wedi'i diogelu, ac ym meddiant y teulu, mae watsh boced a gafodd Puleston yn anrheg gan ei dad. Gan y dywedir i Puleston ei defnyddio am 'hanner canrif' mae'n rhaid felly iddo gael yr anrheg yn ystod ei flwyddyn gyntaf yn yr Ysgol Ramadeg. Un wedi'i haddasu oedd hi fel y medrai o ddweud yr amser drwy gyffwrdd wyneb yr oriawr. Watsh yn siarad a fyddai'r dewis iddo heddiw. Wrth edrych arni, a'i dal yn fy llaw, ni allwn lai na meddwl fel

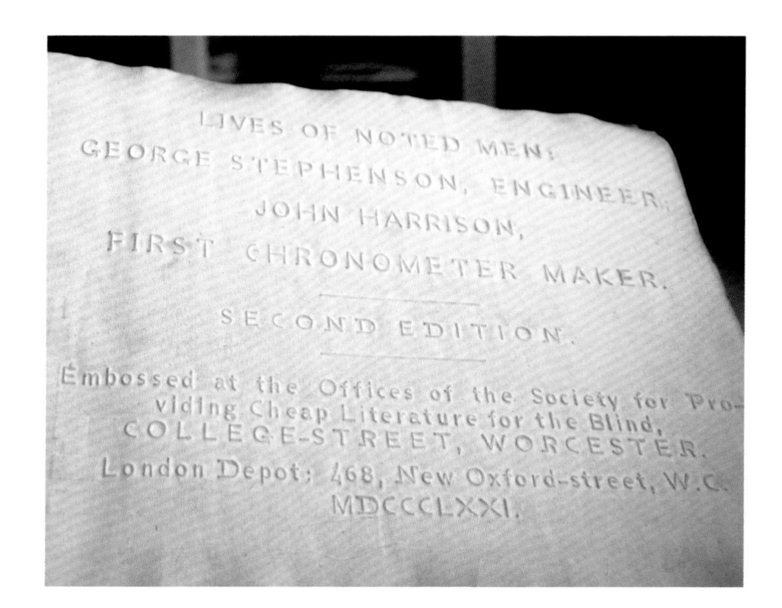

LIVES OF NOTED MEN;
GEORGE STEPHENSON, ENGINEER;
JOHN HARRISON,
FIRST CHRONOMETER MAKER.

SECOND EDITION.

Embossed at the Offices of the Society for Pro-
viding Cheap Literature for the Blind,
COLLEGE-STREET, WORCESTER.
London Depot: 468, New Oxford-street, W.C.
MDCCCLXXI.

Un o'r amryw gyfrolau teip Moon, darllen-trwy-gyffwrdd, a ddiogelwyd gan ei deulu.

yr hwylusodd ei fywyd a'r fath annibyniaeth a ddaeth iddo o fedru ei defnyddio.

Cymaint hwylustod iddo, os nad mwy, oedd help llaw rhai o'i gyd-ddisgyblion unwaith yn rhagor; rhai wedi eu clustnodi gan rai o'r athrawon, o bosibl. Un o'r rheini oedd Tomi Roberts, y Bull, neu 'Tomi Betsi'. Eisteddai ar ei bwys yn ystod y gwersi a 'chymerai atebion Puleston [ar lechen] fel eu hadroddid ganddo,' yn ogystal â'i arwain i drybini gyda direidi a fyddai'n peri i John Puleston fynd i chwerthin. Lluniodd un arall, Robert Ellis, 'Bob Ellis bach', bortread ar gyfer awdur y cofiant. A chaniatáu y gall gwir droi'n chwedl gyda'r blynyddoedd rhaid credu fod John Puleston, yn blentyn, yn eithriadol o grwn ei ddoniau:

Darllenais lawer iddo o ryddiaith a barddoniaeth, a chofiai'r cwbl yn ddi-drafferth. Cyfieithai yn rhwydd i'r Lladin ac i'r Ffrangeg, yn ogystal ag yn ôl i'r Saesneg . . . Mewn Rhif a Mesur ac Euclid dangosai fedr i ddatrys y problemau mwyaf dyrys. Wedi cael y cwestiwn, âi allan o'r ystafell i ystyried y broblem, ac yn y man deuai'n ôl a'r atebiad ganddo. Os awn ato heb ddywedyd gair, adwaenai fi wrth fy nillad, a phan newidiwn fy nillad, adwaenai fi oddi wrth fy anadl. Yr oedd yn gerddgar wrth natur.[16]

Y Puleston ifanc

Meddai David Puleston mewn nodyn ataf, 'Mae sawl llyfr a dderbyniodd Puleston yn wobrau wedi goroesi. Yng Ngorffennaf 1874, y wobr a dderbyniodd oedd cyfrol David Livingstone, *Missionary Travels and Researches in South Africa*, a'i bwnc yn yr arholiad oedd Ysgrythur. Yn 1878 wedyn, rhagorodd mewn Lladin a chael cyfrol o'r enw *The Great Triumphs of Great Men* yn wobr.' Ar un wedd, mae'n annisgwyl mai llyfrau oedd y gwobrau ac yntau'n ddall.

O. M yn ifanc
ac yn frwd.

Ychydig o sylw a roddodd awdur y cofiant i Seisnigrwydd yr addysg a gafodd ei dad yng nghyfraith yn ei ddwy ysgol. 'Dim syndod o gwbl am hyn,' ym marn David Puleston, 'oherwydd Saesneg oedd yn teyrnasu ym myd addysg yn ystod y cyfnod yma ac ar ôl hynny. Mae rhai llyfrau o nodiadau coleg R. W. Jones wedi goroesi. Ac yntau'n dilyn cwrs Gradd BA yn y Gymraeg, a'r darlithydd yn neb llai na John Morris-Jones, mae'r cyfan yn Saesneg ar wahân i ddyfyniadau!'

Mae'r cofiannydd yn dyfynnu barn D. R. Daniel am Brifathro Ysgol Tŷ Tan Domen y pryd hwnnw – un W. T. Phillips:

> Dyn bychan, manwl, llym a llawn ynni a disgyblaeth ymerodrol ganddo. Ofnid ef hwyrach yn fwy nag y'i cerid gan ei ddisgyblion. Gweithiwr caled ydoedd a bu'r hen ysgol o dan ei deyrnasiad yn bur

llwyddiannus. Eithr Sais pendant ydoedd ef heb ronyn o gariad at Gymru, mae'n fwy na thebyg, heb wybod dim am ei hanes ac yn malio llai na hynny yn ei chylch; ei ysgol a'i ardd oedd ei bethau.[17]

A'r atyniad, yn ôl T. I. Ellis, yn ei gofiant i'w dad, oedd 'gwanc anniwall y bechgyn hyn am ddysg.'

Er gwaethaf y Seisnigrwydd, yn nes ymlaen taniwyd tân Cymreictod yng nghalonnau nifer o'r cyn-ddisgyblion, megis Owen M. Edwards, Thomas Edward Ellis, a ddaeth yn Aelod Seneddol dros Feirionnydd, a D. R. Daniel ei hun. Er bod John Puleston rai blynyddoedd yn iau bu'r tri disglair hyn yn fawr eu dylanwad arno. Yn ôl y cofiant, 'treulient oriau lawer bob wythnos yng nghwmni ei gilydd.' [18]

Dichon na fyddai Seisnigrwydd yr addysg yn bryder i'w fam a'i dad mwy nag i'r rhan fwyaf o rieni'r cyfnod. Saesneg oedd iaith cyfle, a'r iaith a fyddai'n agor drysau i'w plant yn y dyfodol. Roedd John Puleston i ddod i farn wahanol iawn, yn ddiweddarach:

> Y mae Cymru wedi dioddef er's cenedlaethau oddiwrth yr anffawd fod ei chynddelw hi yn Seisnig i fesur mawr. Gwnaeth yr hen ysgolfeistri waith ardderchog yn ddiau yn eu dydd. Yr oedd rhai ohonynt yn y Capel, ac yn eu cartrefi, yn hen Gymry trwyadl; eithr fel athrawon yr oeddynt eto heb ymysgwyd oddiwrth y syniad mai ffordd i wneuthur Cymro yn ddysgedig a diwylliedig oedd ei wneuthur mor debyg ag oedd bosibl i Sais.[19]

Eto, cyn belled ag roedd ysgolion y Bala yn y cwestiwn bu gwres Cymreigrwydd yn hir iawn, iawn yn cyrraedd. Roedd D. Tecwyn Lloyd, y llenor a'r ysgolhaig, yn ddisgybl yn Ysgol Tŷ Tan Domen mor ddiweddar â thridegau'r ugeinfed ganrif: 'Cymry oedd holl aelodau ei staff a Chymry oedd pob un ohonom ninnau, blant, i bob pwrpas, ond Saesneg oedd iaith gyntaf y gwersi (ac eithrio Cymraeg ei hun), iaith y chwaraeon ac iaith sgwrs y staff ymhlith ei gilydd a chyda ninnau.'[20]

Cyn iddo adael yr ysgol, prynodd tad Puleston deipiadur i'w fab, Remington, 'un o'r rhai cyntaf a ddaeth i Gymru'.[21] A dyna anrheg amhrisiadwy arall iddo. Coelier neu beidio, mae dau o'i deipiaduron wedi goroesi ac yn ddiogel yn yr Archif. Go brin, fodd bynnag, yn ôl David Puleston, fod yr un o'r ddau yn dyddio o'r cyfnod hwn. O hynny ymlaen, apeliai pob math o beiriannau at Puleston a châi bleser o'u trin a'u trwsio. Os oedd y watsh a gafodd yn rhyfeddod i bobl y Bala roedd yr 'injian sgwennu', fel y sonnid amdani, yn fwy o ryfeddod fyth. Hwylusodd y teipiadur ei gwrs addysg tu hwnt i bob disgwyl. Roedd i gyfoethogi'i fywyd cymdeithasol, a charwriaethol, yn nes ymlaen.

Daeth teipiadur cynta'r Cwmni ar y farchnad tua 1876. Ymhlith y rhai cyntaf un i'w ddefnyddio roedd y nofelydd a'r digrifwr, Mark Twain – a John Puleston Jones.

I GOLEG Y METHODISTIAID

A dehongli'n arwynebol, dechrau stori Coleg y Bala oedd pregethwr efo'r Methodistiaid Calfinaidd yn syrthio mewn cariad â merch o'r Bala. Yr oedd Lewis Edwards – Cardi, athro a diwinydd – am briodi Jane Charles, wyres i Thomas

Charles. Y maen rhwystr oedd nad oedd honno ddim am adael ei mam, na gadael y Bala. Yn union fel ei nain yn syrthio mewn cariad â Thomas Charles ac yn gwrthod mudo.[22]

Yna, yn 1837, ar anogaeth John Elias ac eraill, agorodd Lewis Edwards, a'i frawd yng nghyfraith, David Charles, ysgol yn y Bala. Ymddangosodd hysbyseb am y bwriad yn Awst 1837:

> Education
> Messers. L. Edwards and D. Charles announce their intention of giving instruction at Bala in the Classics, Mathematics, and other branches of liberal education. Every attention will be paid to facilitate the progress of the pupils in the acquirement of sound learning and general information, and in the cultivation of religious principles. Bala and its adjacent country, where the students may amuse themselves during the hours of relaxation, is remarkable for the beauty of its scenery, and the general salubrity of its air. Messers. L. Edwards and D. Charles will receive into their families a few pupils whose comfort and improvement will be especially studied. Comfortable lodgings are also to be had in the town. The school will be opened the first day of August. Terms: Instruction, Eight Guineas per annum; Board (washing included) Twenty Guineas ditto. No charge for entrance.[23]

Erbyn Mawrth 1838 roedd yna 27 o fyfyrwyr ar y llyfrau a'r mwyafrif am fod yn weinidogion.

Symud o adeilad i adeilad fu'r hanes am rai blynyddoedd, hyd nes codi adeilad newydd, urddasol, ar lechwedd uwchlaw'r dref yn 1867. I'r adeilad hwnnw, Coleg y Bala, y dringodd Puleston – a dyna a fyddai ei enw bob dydd o hyn ymlaen – ym Medi 1878 yn 16 oed. Bu yno am dair blynedd. Fel y gwelwyd, yn Saesneg roedd yr hysbyseb am y Coleg a'i ragoriaethau a Saesneg, hefyd, oedd iaith dysgu'r Coleg, ac felly y bu pethau am flynyddoedd meithion: 'Sylwer beth a olygai hyn – ni châi'r Cymro mwyaf diwylliedig, oni fedrai Saesneg, ei dderbyn i'r coleg, er na byddai'n debyg y gofynnid iddo wneuthur dim byth ond pregethu Cymraeg.'[24]

Pan gyrhaeddodd Puleston yno, ym Medi 1878, roedd y Prifathro, Lewis Edwards, yn dal yn y tresi a'r ddau, serch y gwahaniaeth mewn oedran, yn gynefin iawn â'i gilydd. Ddwy flynedd cyn agor yr adeilad roedd yna ddau athro newydd wedi eu penodi. Un oedd Hugh Williams – o Borthaethwy'n wreiddiol ac yn saer maen ar un adeg – a'i bynciau darlithio oedd Groeg a Mathemateg. Y llall oedd Ellis Edwards, mab yr awdur a'r gweinidog, Roger Edwards, Yr Wyddgrug. Ei feysydd yntau oedd Lladin a Saesneg.[25]

Wrth gwrs, roedd y cyrsiau'n ehangach na'r pynciau gosodedig, hyd yn oed at ffinio ar wyddoniaeth. Roedd ffrind agos Puleston, Owen Edwards, yno cyn iddo gyrraedd ac fe'i penodwyd, am gyfnod, yn athro cynorthwyol. Mae'r stori honno a ysgrifennodd Puleston amdano, er difrifwch y sefyllfa, yn un ddoniol ryfeddol:

> Cof gennyf am glywed yr adeilad yn diasbedain unwaith gan ffrwydrad a fuasai'n ddigon i yrru llwyth llong o filwyr Ellmynig ar ffo. Beth oedd yno ond Owen M. Edwards yn hwylio 'experiment' erbyn dosbarth Ellis Edwards. Ac er syndod i bawb ac i'r Proffesor ei hun llwyddodd y disgybl ieuanc i falu'r gêr yn grybibion heb ddryllio'r ystafell ac heb ladd ei hun. Fel yr oedd yn y Bala'r pryd hwnnw gymaint o amrywiaeth cyfleusterau addysg na fu ond y dim rhwng y gŵr ieuanc athrylithgar oedd yn trin yr Hydrogen ac ymddatblygu yn wyddon yn lle yn llenor. [26]

Diogelodd y teulu rai llyfrau o'r Beibl Braille ond mae David Puleston yn amau a fu gan Puleston erioed gasgliad cyflawn gan y byddai'r llwyth wedi bod yn un anferth.

Rhywbryd, rhwng ysgol a choleg, aeth ati i ddysgu darllen Braille. 'Brail' a ddywedai ac yr ysgrifennai Puleston.[27] Puleston ei hun, yn ddiweddarach, a fu'n gyfrifol am lunio cyfundrefn o reolau ar gyfer cael y cyfrwng yn yr iaith Gymraeg. Fel myfyriwr, llwyddo'n rhyfeddol, yn anghredadwy felly bron, fu ei hanes yn ystod ei dair blynedd yng Ngholeg y Bala. Ar ddiwedd ei ail flwyddyn daeth yn ail yn ei ddosbarth ac ar y blaen i bawb arall ar derfyn ei flwyddyn olaf gyda marciau llawn mewn amryw o bynciau. Ar wahân i ieithoedd a llenyddiaethau, yn ei flwyddyn olaf astudiai Algebra, Trigonometreg ac Ewclid. Fel na phetai

Tudalen o'r 'Brail', chwedl Puleston.

ei faich yn ddigon, yn allanol astudiai fferylliaeth, yn bwnc ychwanegol, a hynny ar gyfer un o arholiadau Prifysgol Llundain.

Fel y profwyd gydol ei fywyd, dibynnai'n llwyr ar gymorth eraill. Yn ystod ei arholiadau olaf yn haf 1881, Edward, brawd Owen Edwards, a ysgrifennai ar ei ran:

> Gosodid y ddau mewn ystafell ar eu pennau eu hunain. Darllenai Mr. Edwards y cwestiwn iddo, a llifai atebion Puleston. Yr unig adeg y câi'r ysgrifennydd ei wynt ato oedd pan arafai Puleston i feddwl, gan dynnu ei wydrau a'u dal yn ei law

'Nid mynachod gwyneb-drist oedd hen fyfyrwyr y Bala; yr oedd y mwyafrif ohonynt yn *jolly fellows*, rhai a fedrent fwynhau eu hunain a bod yn 'llawen yn wastadol': *Adgofion Adronicus*.

> chwith, a thynnu cefn ei law dros ei lygad de. Y syndod oedd y medrai ddeud i'r dim lle'r oedd yr acennau i fod mewn Rhyddiaeth Groeg.[28]

Eto, nid myfyriwr gwaith-a-gorffwys yn unig oedd Puleston. Ymunai mor llawen â'r gweddill ym mywyd cymdeithasol y myfyrwyr a olygai, fel erioed, gryn ffolinebau. Byddai Mary Ann ac Evan Jones yn gwahodd rhai o'r myfyrwyr hynny i dreulio noson hwyliog ar eu haelwyd. Ar noson felly y cafodd Puleston, ac eraill, fath o fedydd trochiad o dan law un a oedd i ddod yn un o athronwyr enwocaf ei gyfnod:

> Ar noson felly y cyfarfu Puleston gyntaf â Henry Jones, Llangernyw (Sir Henry Jones) pan oedd Syr Henry yn bwrw tymor byr yn y Bala ar derfyn ei yrfa ddisglair yng Nglasgow. Chwarae yr oedd Syr Henry, – "rhoi bendith y Pab i'r naill a'r llall ohonom, ein galw i mewn o'r *passage*, ac wedi i ni benlinio o'i flaen, dywedyd rhes o eiriau Lladin wrth ein pennau, ac yna gwyro'i ben, a gollwng llond cantal ei het o ddŵr oer ar ben y disgybl mewn hwyl fawr.'[29]

PREGETHWR FYDD O

Ar derfyn ei ail flwyddyn, ac yntau'n 17, penderfynodd ymateb yn gyhoeddus i'r hyn a elwid ar y pryd yn 'alwad i'r weinidogaeth'. Yn hanes Puleston, go brin ei fod yn benderfyniad un awr ac un lle, na chwaith yn benderfyniad un person. Diau y bu gan ei rieni freuddwydion o'r fath yn ei gylch, ac iddyn nhw arwain eu mab i'r cyfeiriad hwnnw – er na welais i unrhyw brawf o hynny. Yn ogystal, roedd y gymdeithas frwdfrydig yn y Tegid newydd yn fath o lanw o'i du.

O ran y syniad o alwad, neu'r dehongliad ohoni, diddorol ydi cymharu profiad ei gyfaill, Owen Edwards, a oedd wedi dechrau pregethu tua dwy flynedd ynghynt, er na ddaliodd at y gwaith yn hir. Dyma sylwadau W. J. Griffith:

> Tua'r amser yma [Hydref 1877] y mae'r sôn cyntaf am i Owen i fynd i bregethu. Y mae'n hollol sicr nad o'i fodd yr aeth, ac nad ynddo ef y cododd y syniad i gychwyn. Dywedai Thomas Edwards, ei frawd, amdano mai "cael ei yrru i bregethu" a ddarfu iddo, ac y mae popeth yn y dyddiaduron yn cadarnhau hynny.[30]

Fel pob ymgeisydd arall, bu'n ofynnol i Puleston gerdded y llwybrau arferol cyn cael ei dderbyn yn ymgeisydd. Gan fod darpar weinidogion bryd hynny'n ddwsin am ddimai, a rhagor, roedd y llwybrau'n gulion ddigon; yn enwedig gydag enwad awdurdodol fel y Methodistiaid Calfinaidd. Ar 21 Medi 1879, yng nghapel Cefnddwysarn, y pregethodd ei bregeth brawf gyntaf, ar bwnc digon astrus – ailddyfodiad Iesu. [31] Bu'n crwydro o gapel i gapel o hynny ymlaen a'i dad, pan fyddai galw am hynny, a oedd yn berchennog poni a thrap, yn abl i'w gludo i'w gyhoeddiadau mewn steil.

Ar y dechrau, roedd ei ddallineb, a'i fedrusrwydd i ddygymod â hynny, yn rhoi arwriaeth iddo – un roedd yn ei haeddu. Fe wyddai Owen Edwards fod mwy iddo na hynny. 'Y Nos Cyn Nadolig' 1888, wrth bori mewn rhifyn o'r *Goleuad* – ac yntau'n fyfyriwr yn Aberystwyth ac yn lletya yn 1 Sea View Place – darllenodd fod Puleston i dderbyn cymeradwyaeth y Cyfarfod Misol ac ysgrifennodd yn ei ddyddiadur, yn gynnes odiaeth: 'Bravo! Puleston. He is too noble for any other profession. His blindness is more than compensated by his lovable character, his keen sense of humour, his clear and great mind. With a fine voice, a profound power of thinking, and a warm heart, he must be successful as a preacher.'[32] Dyna gystal dehongliad o 'alwad' Puleston â dim, a hynny gan un nas teimlodd yr 'alwad' ei hun. Roedd gan O. M. adnabyddiaeth agos iawn ohono ac ysgrifennai o'i galon gan dybio, mae'n debyg, na fyddai neb arall byth yn darllen y folawd a ysgrifennodd.

Yn y bennod hon dyfynnais yn helaeth o gyfrol R. T. Jenkins, *Edrych yn Ôl*, i geisio dal awyrgylch y Bala a'r cyffiniau yn Oes Fictoria – oddi mewn i'r capeli yn arbennig felly. Er nad oedd popeth a ddigwyddai oddi mewn i furiau'r Tegid Newydd yn union wrth ei fodd. Cyn gadael y bennod, dyma ddyfynnu ei deyrnged i'r hen dref:

> Pe cawn fyw yn ddigon hir i "riteirio" [ac fe gafodd], a ddychwelwn i yno i fyw, efallai i'r hen dŷ? Ar

> adegau, mae'n demtasiwn. Lle *hyfryd* yw'r Bala yn yr haf . . . Ond ar dymhorau eraill – wel, nid wyf eto'n rhy hen i gofio'r glawogydd, y lleithder, yr eira oer; na, nid lle i hen ŵr rhynllyd! . . . Eithr nid o unrhyw anghlod i'r Bala y dywedir hyn – y pwynt yw nad wyf i'n ddigon da, gorff nac enaid nac ysbryd, i fyw ynddi! Dymunaf i'r hen dre bob hawddfyd. Hi wnaeth ddwy gymwynas fawr â mi, heb sôn am gymwynasau llai. Am imi fyw ynddi'r wyf i'n Gymro *Cymraeg*; a byw ynddi a'm gwnaeth yn *werinwr*.[33]

O'i fagu yn y Bala, cafodd Puleston yr un 'ddwy gymwynas fawr', a nifer o rai eraill llawn cyn drymed. Yn anffodus, ni chafodd oedi'n ddigon hir i benderfynu a ddeuai'n ôl yno i ymddeol ai peidio.

O'R BALA I BALLIOL

Ym mis Medi 1881 dyma Puleston yn codi angor. Oherwydd ei anabledd gofynnai hynny am dipyn o ddewrder, rhinwedd na fu erioed yn brin ohoni. Math o hwylio gyda'r glannau fu hi cyn hynny: crwydro i weld teulu a chydnabod neu i bregethu'r Gair, aros noson neu ddwy oddi cartref ac yna dychwelyd i'r Bala.

Amodau mynediad oedd tystysgrif feddygol a chymeradwyaeth o fyd addysg; gallai'r oedran amrywio o 8 i 30 oed a hŷn – mor bell â bod yr ymgeisydd yn medru ymwisgo.

COLLEGE FOR THE BLIND SONS OF GENTLEMEN

Yn 19 oed ymrestrodd yn fyfyriwr mewn coleg ac iddo lefiathan o enw: *The Worcester College for the Blind Sons of Gentlemen* yng Nghaerwrangon. Erbyn i Puleston gyrraedd yno roedd yr enw wedi'i dalfyrru i *Worcester College for the Blind.* Fe'i hagorwyd yn 1866 i hyfforddi'r dall a'r rhannolddall ar gyfer cyrsiau prifysgol.[1]

Yn ôl Prosbectws y Coleg, gallai oedran myfyriwr ymestyn o wyth oed – cyn belled â bod y plentyn hwnnw yn medru

Fe'i hystyrir, erbyn hyn, ymhlith y blaenaf o golegau addysg bellach i'r ifanc dall neu rhannol ddall.

ymwisgo – i 30 oed a hŷn na hynny. O ran natur yr addysg, yr amcan oedd dilyn patrwm ysgol fonedd gyda phwyslais ar chwaraeon. A dyfynnu o lythyr personol a ysgrifennodd un o gyd-fyfyrwyr Puleston, F. M. West, at awdur y cofiant, roedd y diwrnod gwaith yn un gweddol resymol:

> Work began at Seven in the Morning with Scripture, Mr. Foster [y Prifathro] taking the Seniors. Breakfast was at Eight: work again from Nine to Twelve, then people did what they liked, walked in the country or went into the town. There was much freedom allowed. Classes again from Two to Four: tea at Six. From Four to Nine or Ten people were on their own. And those who wanted to work made use of the time, and others amused themselves . . . On

> Sundays everybody went to St. Martin's [Eglwys Anglicanaidd] at the other end of the town.[2]

Nos Sul byddai Puleston yn addoli gyda Phresbyteriaid y dref. Yna, ddwywaith yr wythnos, ar fin nos, byddai'n arwain grŵp bychan o'r myfyrwyr i ddarllen y Gair a gweddïo.

Doedd y Coleg, yn sicr, ddim o fewn cyrraedd teuluoedd cyffredin eu moddion. I gael mynediad, roedd yna ffioedd trymion – er bod rhai ysgoloriaethau ar gael – a thaliadau ychwanegol, wedyn, i gael defnyddio'r llyfrgell neu ymuno mewn chwaraeon. Am y ffi o ddwy geiniog yr awr gellid cyflogi bachgen o'r dref i ddarllen i'r dall a byddai Puleston yn manteisio ar hynny.

Darlun - o gyfnod Puleston o bosibl - o'r casgliad helaeth sydd ar wefan y coleg.

Roedd yna reolau manwl iawn cyn belled ag yr oedd gwisgo yn y cwestiwn. I restru rhai o'r angenrheidiau: côt uchaf, siwt Sul (un ddu), siwtiau cyflawn eraill, gŵn nos, esgidiau (duon), slipers (rhai lledr) a phâr o esgidiau dawnsio. Ar gyfer yr haf yr angenrheidiau oedd crysau a throwsusau gwlanen, het wellt, fest, trowsus nofio a throwsus cwta ar gyfer rhwyfo. O ran eu fforddio, byddai'r wardrob gyflawn o fewn cyrraedd teulu Mount Place ond yn gwbl ddianghenraid cyn belled ag yr oedd Puleston yn y cwestiwn. Pêl-droed, criced, pêl-rwyd a nofio oedd rhai o'r chwaraeon ac ni chofia'i gyd-fyfyriwr, West, iddo ei weld yn ymddiddori unwaith yn yr un ohonynt.[3]

Serch y rhwysg a berthynai i'r enw, a'r ffioedd a delid, Ysgol Ramadeg oedd y Coleg i bob pwrpas – un breswyl, mae'n wir. Mae'n anodd dirnad pam y gwnaed y penderfyniad iddo fynd yno o gwbl. O ran yr addysg a geid yno, o gymharu â Choleg y Bala, fe ymddengys i mi fel cam tuag at yn ôl. Faint bynnag oedd gan y Coleg i'w ddysgu iddo, cafodd un hyfforddiant a fu o gymorth mawr iddo weddill ei oes:

Yn ôl y cydfyfyriwr, West, 'He came better grounded in Classics and Mathematics than any of us.'

> Yma y dysgodd Puleston ysgrifennu Braille drwy osod papur priodol ar lechen llawn o fân dyllau, â'i bigo a phin arbennig. Pan fyddai gofyn i'r dosbarth gadw dyfyniadau o lyfr na cheid mohono mewn teip boglymedig (*embossed*), darllenai'r athro ef, ac ysgrifennai'r disgyblion y geiriau mewn Braille. Bu'r ddysg hon yn hwylus i Puleston ar ôl hynny i ysgrifennu emynau a rhannau o'r Ysgrythur i'w dwyn gydag ef ar ei deithiau yn lle cludo llyfrau cyfain.[4]

Un o'r cyfrolau a ddiogelwyd gyda'r ysgrifbin a ddefnyddiai Puleston at y gwaith.

Mewn llythyr a anfonodd Puleston at ei fam, ddydd Iau, 19 Ionawr 1882, ceir awgrym y gwyddai beth oedd hiraeth. Erbyn hynny roedd o wedi dechrau ar ei ail flwyddyn, ac ar ei ail dymor yno, eto ceir y sylw, 'dechrau bwrw fy hiraeth.'[5] Wedi meddwl, yn ôl y llythyr, roedd ei dad wedi bod yno y bwrw Sul blaenorol gan ymadael bnawn Mawrth a dichon mai hynny a agorodd friw.

Diddorol ydi'r sylw, yn ôl y llythyr, fod y 'bechgyn wedi'u difyrru'n fawr' yng ngwmni Evan Jones. Yn union fel y llwyddai'r mab, Puleston, i'w difyrru ambell fin nos: 'He was always amusing and thoughtful and taught us among other things to sing some of his old Bala College songs, notably "There were three old, old Jews", which we enjoyed immensely, but of which I think Mr. Foster did not quite approve. These singsongs were held in the library at nine o'clock when we were done work.'[6]

Mymryn o rialtwch neu beidio, ffarwelio â'r *Worcester College for the Blind* fu'i hanes, a hynny cyn pryd. Ddechrau 1883, daliodd un o afiechydon heintus y cyfnod, y teiffoid, a oedd yn para'n hir ac yn medru bod yn angheuol. Bu'n orweddiog am gyfnod. Mae'n fwy na thebyg mai yn ei wely y dathlodd Puleston ei ddydd pen-blwydd yn 21 oed. Hanes hyfryd ydi hwnnw am Foster, y Prifathro, yn rhoi 'ei ystafell wely ei hun' iddo ac yn ymdrafferthu i sicrhau Cymraes i'w nyrsio. Cadarnhaodd hanesydd lleol, Dafydd Whiteside Thomas, mai un o Lanberis oedd y nyrs honno, Ellen Thomas, wedi'i geni yno yn 1859. Cyn cyrraedd Caerwrangon bu'n nyrsio yn Lerpwl.[7] Wedi'r gofal neilltuol, a hwnnw yn ofal Cymreig a Chymraeg, daeth Puleston ato'i hun. Yna, wedi cryfhau peth, cododd ei bac a dychwelyd i'r Bala.

I BRIFYSGOL GLASGOW

Wedi hanner blwyddyn i adfer ei nerth, ailgydiodd Puleston yn ei addysg. Ym mis Hydref 1883 aeth Owen Edwards ac yntau i fyny i'r Alban i Brifysgol Glasgow. Gwyddai'r ddau, yn ddiamau, am yr hynafiaeth a'r enwogrwydd a berthynai i'r *Universitas Glasguensis*: wedi'i sefydlu mor bell yn ôl â 1451, ac â rhan allweddol yn y dadeni dysg a welodd yr Alban yn y ddeunawfed ganrif. Ond pwy neu beth a blannodd yr awydd yn y ddau i groesi ffiniau gwlad ac iaith a mynd mor bell o

I'r fan hon y cyrhaeddodd Puleston ac Owen Edwards yn 1883.

gartref? Dylanwad Henry Jones, dybiwn i.

Erbyn blwyddyn olaf Owen Edwards yn Aberystwyth roedd Henry Jones wedi cyrraedd y Coleg ac yntau'n mynychu ei ddarlithoedd ar athroniaeth. Fel cymeriad, bu ei ddylanwad yn fawr arno. Meddai, 'I have fallen into the hands of Henry Jones, who is rapidly widening the channel of my thoughts.'[8] I'r 'crydd athronydd' o Langernyw, fel y'i gelwid, 'nid oedd un man yn y byd yn debyg i Brifysgol Glasgow gyda'i Hegeliaeth huawdl a'i chroeso i fyfyriwr o Gymru.'[9] Felly, mae'n bosibl mai Owen Edwards a lyncodd y syniad. Os hynny, pam mynd yno yn un o ddau?

Yn ôl mwy nag un ffynhonnell, doedd gan Owen Edwards mo'r arian i dalu'i holl gostau yn Glasgow. Ar y llaw arall, o fynd i unrhyw Brifysgol byddai'n dda i Puleston gael rhywun i'w gysgodi, yn arbennig i ddarllen iddo. Felly, fe wnaed cyfamod ariannol a barodd i'r ddeubeth fod yn bosibl. Mae llythyr Saesneg a ysgrifennodd Evan Jones, 14 Medi 1883, yn rhoi'r cytundeb ariannol hwnnw yn ei gyd-destun. Gair o ymateb ydi'r llythyr, sy'n awgrymu i mi mai Owen Edwards a droes y syniad yn gynllun:

> I will fall in with the plan sketched out in your letter and find the necesarry funds for you both to go through your exams at Glascow and Oxford and I shall leave the proportion of the money that you will pay me back on entirely a matter of honour between you and me as I have implicit faith in your honesty . . . The life policy I will maintain during your college career and you can either continue it afterwards or sell it at the end.[10]

Ym marn awdur y cofiant, 'oni bai am y cymorth hwn prin y gallasai Owen Edwards fentro â'i addysg.' Mae hi'r un mor wir na fyddai Puleston, chwaith, wedi llwyddo fel y gwnaeth oni bai am y gymwynas o'r ochr arall. Fodd bynnag, cyn i'r ddau newyddian gyrraedd yno roedd myfyriwr o Gymro, a oedd yno'n barod, wedi sicrhau 'llety cysurus' ar eu cyfer, a hwnnw'n agos i'r coleg.[11]

O ran un o'r pynciau, Llenyddiaeth Saesneg, mi dybiwn i mai Puleston a fanteisiodd fwyaf; roedd O. M. eisoes â gradd B.A. Prifysgol Llundain yn y pwnc.[12] John Nichol oedd yr Athro, yn ddarlithydd disglair a beirniad llenyddol o gryn fri. Ail bwnc y ddau oedd athroniaeth foesol. Roedd yr Athro, Edward Caird, wedi arbenigo yng ngweithiau Kant a Hegel. Pwysleisiai le'r meddwl dynol mewn ymddygiad a moeseg, gyda chrefydd yn sylfaen i'r cyfan.

Diogelwyd rhai o'r traethodau a baratôdd Puleston yn y maes ar destunau megis 'The modern struggle between individualism and socialism', 'The relativity of our knowledge' neu 'Psychology is the basis of philosophy' – sef ymateb Puleston i athroniaeth Locke. Meddai Puleston, a dyfynnu sylw annisgwyl gan ŵr dall: 'We must examine the mind before using it. Locke used the simile of the telescope to show what he meant. Before relying on the accuracy of the instrument, we must be sure that there are no flaws in it. But we have the eye to examine the telescope; what can we have to examine the mind?'[13]

O fod yn lletya o dan yr unto ag Owen Edwards ac yfed yr un addysg, a darlithoedd Caird yn megino trafodaeth, dadleuai'r ddau ar gwestiynau dyrys ym myd moeseg a rhesymeg. Ar foreau Sul daliai Puleston ar y cyfle i glywed rhai o hoelion wyth Eglwys yr Alban yn plymio i'r dyfnderoedd, ac yn yr hwyr, wedyn, ymunai gyda'r gynulleidfa o Gymry Cymraeg a addolai mewn seler gan bregethu yno'n achlysurol. Fel myfyrwyr eraill, gwahoddid y ddau i giniawa neu i swpera yng nghartrefi'u hathrawon, a mannau eraill, a hynny gyda chroestoriad o wahanol bobl.

Weithiau, byddai pynciau llai astrus a mwy lleol yn ennyn

trafodaeth ac yn destun difyrrwch i'r ddau. Er enghraifft, prun ai Llanuwchllyn ai'r Bala oedd y gorau? Unwaith, ar ddydd gwobrwyo, achosodd hynny ddryswch meddwl i'r Athro: 'Daeth yr Athro Edward Caird ymlaen i alw enwau a phan ddaeth at 'Owen Morgan Edwards, Llanuwchllyn', petrusodd ennyd. Yr oedd yr enw 'Llanuwchllyn' yn ei faglu. Yn sydyn cyhoeddodd, – 'Owen Morgan Edwards, Bala'. Ar hynny fe glywid pwl o chwerthin tenoraidd o ganol y neuadd – Puleston wrth ei fodd!'[14]

Ar ddiwedd eu tymhorau yn Glasgow, llwyddodd y ddau i sicrhau ysgoloriaethau a wnaeth dringo'n uwch yn bosibl. Cyn belled ag roedd yr arian yn y cwestiwn, mae'n rhaid i'r ddau lwyddo i ffitio'r wadn yn ôl y droed. Pan gafodd Evan Jones y biliau i'w harchwilio fe'u hystyriai'n 'eithriadol o resymol'. Fodd bynnag, roedd ganddo un ymholiad, a hynny am y swm a dalwyd am flodau! Rhai i'w pinio yn eu llabedi fyddai'r rheini, dybiwn i, i fynd i giniawa neu i ddigwyddiadau o bwys.

CYRRAEDD BALLIOL

I Brifysgol Rhydychen, a Choleg Balliol, yr aeth Puleston ac Owen Edwards ddechrau Hydref 1884. O feddwl am faint cyfraniad y ddau ohonyn nhw, yn ddiweddarach, i hanes Cymru gellid tybio mai Coleg Iesu fyddai'r dewis cyntaf. Ym marn W. J. Gruffydd, 'Nid oedd i Goleg yr Iesu y pryd hynny air rhy dda ymhlith ysgolheigion, ac nid oedd Cymreigrwydd Owen Edwards wedi ei ddeffro'n ddigon eto iddo ddewis

Coleg Balliol, ar ddydd o haf i bob golwg.

peth salach (fel y buasai'n dewis yn ddiweddarach) am ei fod yn Gymreig.'[15]

Hanes oedd dewis y ddau yn bwnc astudiaeth. Wrth wneud yr un dewis, hwyrach mai syrthio i'r drefn er mwyn hwylustod wnaeth Puleston. Mae'n bosibl y byddai athroniaeth crefydd wedi bod lawn cymaint at ei ddant. Ar y llaw arall, yn ôl Henry Jones beth bynnag, doedd yna fawr o'r athronydd yn O. M., 'He never was a philosophic thinker . . . He was not cast in that mould. His imagination was too vivid.'[16]

Mae meistrolaeth Puleston ar ba bynnag bwnc, a'i allu i gofio, yn dal yn destun rhyfeddod hyd yn oed heddiw.

Mae rhai o draethodau Puleston yn dal ar gael. Ychydig gywiriadau a nodir, ac mae'r sylwadau inc coch yn dyrchafu o 'not the point' neu 'too long' i 'clearly put' a 'good'. Ar derfyn un traethawd ar Gyfnod y Tuduriaid ceir 'style and thought good but knowledge slight.' Eithr eithriad llwyr ydi sylw crafog o'r fath.

Ar y dechrau, cydletyai O. M. ac yntau mewn tŷ ym Marston Road, ond ymhen y flwyddyn roedd y ddau wedi gwahanu. Yr unig eglurhad a geir yn y cofiant ydi i Puleston 'drwy ffafr arbennig y Meistr' gael ystafelloedd yn y Coleg. Benjamin Jowett oedd hwnnw gyda'i ddysg glasurol, ei ddehongliad o'r Ysgrythurau yn newydd a beiddgar, ac yn glerigwr yn ogystal. Oherwydd diddordeb arbennig Jowett mewn addysgu'r tlawd a rhai o dan anfanteision, hwyrach mai cysgodi Puleston oedd ei fwriad.

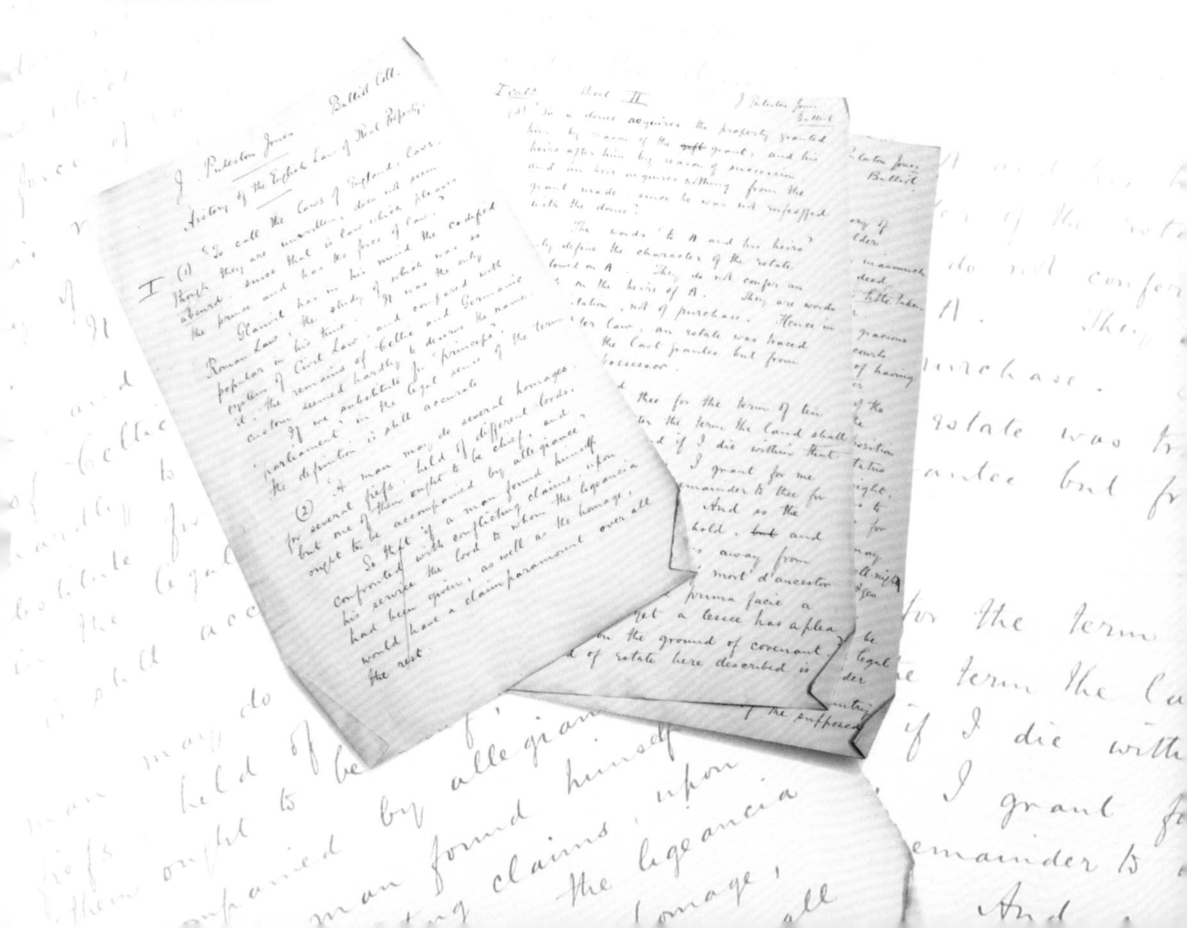

Balliol Coll.

J. Puleston Jones

History of the English Law of Real Property.

I (1) To call the Laws of England 'Laws' though they are unwritten, does not seem absurd, since that is law which pleases the prince and has the force of law.

Glanvil has in his mind the codified Roman Law, the study of which was so popular in his time. It was the only system of Civil Law, and compared with it the remains of Celtic and Germanic custom seemed hardly to deserve the name.

If we substitute for 'principes' the term 'parliament' in the legal sense of the term the definition is still accurate.

(2) 'A man may do several homages for several fiefs, held of different lords, but one of them ought to be chief, and ought to be accompanied by allegiance.

So that if a man found himself confronted with conflicting claims, upon his service the lord to whom the ligeancia had been given, as well as the homage, would have a claim paramount over all the rest.

Enghraifft o'r llu o nodiadau ysgolheigaidd a lefarodd Puleston tra'n fyfyriwr ac a gofnodwyd ar ei ran - am dâl gan amlaf.

Ar y llaw arall, o golli'r cymorth-hawdd-ei-gael, bu'n rhaid i Puleston geisio llenwi'r bylchau. Ceir cryn gyfeirio at hyn yn y cofiant ac mewn llythyrau. Hysbysebu am ddarllenwyr oedd un dull, dro arall byddai'r darlithwyr yn awgrymu enwau iddo. Nodir hefyd pa mor barod oedd amryw o'i gyd-efrydwyr i droi i mewn i'w ystafell ar fin nos i'w gynorthwyo.

Eto, ni bu gwaith academaidd yn bopeth i Puleston erioed ac ynghanol y cruglwyth gwaith a ysgwyddai yn Rhydychen câi amser i hamddena. Unwaith awgrymodd Maurice Griffiths – y cyd-fyfyriwr a ddaeth yn ffrind oes iddo – eu bod yn mynd i gerdded i Goedwig Baggley ar gyrion Rhydychen. 'Fûm i erioed yno,' meddai Puleston, 'ond y mae gen i grap ar y ffordd,' a'r dall yn tywys yr estron fu hi'r pnawn hwnnw:

> Arweiniai'r ffordd ni drwy gorsydd lleidiog, ac ychwanegai hynny at fwynhad Puleston. Cerddem fraich-ym-mraich; yr oedd Puleston yn ei hwyliau gorau, a minnau'n fawr fy mhryder a'm gofal wrth weld y pyllau lleidiog a oedd ar y llwybr, a cheisiais ei rybuddio. 'Dyma un go ddrwg,' meddwn, 'rhaid i chwi gamu troedfedd er mwyn ei osgoi.' Chwarddodd Puleston yn iach a pharatôdd i roi cam, ond yn lle camu troedfedd at ymlaen, beth a wnaeth y gwalch ond camu troedfedd at i fyny, a disgyn i ganol y pwll, a dywedyd, ''Does dim pwys mewn caglau ar ein llodrau, dyna ran o'r sbort, dyna'r pris bychan am grwydro yn y wlad.'[17]

Yn ôl ei gyfaill, dyfnhawyd y berthynas o'r herwydd, a 'chyrhaeddwyd pen y daith a ninnau wedi dysgu i ymddiried yn ein gilydd, ac yn teimlo bod yr ymgom rhydd a diofal yn werth y llaid.'

Ond beth am y cytundeb ariannol hwnnw oedd rhwng Evan Jones ac Owen Edwards? Yn ôl y cofiant, 'dros *ran* o'r tymor y bu Puleston ac Owen Edwards yn Rhydychen' yr ymestynnai'r cytundeb. Roedd y gwahanu'n sicr yn newid amodau'r cydweithio ac yn nes ymlaen arweiniodd at beth anghytundeb. Ceir y frawddeg a ganlyn mewn llythyr oddi wrth Puleston at ei chwaer fach, Jane Augusta, dyddiedig 6 Mawrth 1886: 'Yr wyf ar lawr am bres. A wnewch chi ofyn i nhad anfon rhyw deirpunt a chweugain yn fuan?' Gyda llaw, cadwai Puleston filiau o'i holl gostau a'u hanfon at ei rieni. Aeth yn 1891 cyn i Evan Jones dderbyn yr ad-daliad y cytunodd Owen Edwards ac yntau arno ar y dechrau.

O'u cymharu, fe ymddengys fod Owen Edwards yn gymeriad mwy mewnblyg ac ansicr ohono'i hun, tra oedd Puleston, ar y llaw arall, yn haul pob cwmni a'i chwerthiniad parod ac uchel i'w glywed yn gyson. Fel y cofnododd Tom Ellis ar gerdyn post a anfonodd at D. R. Daniel, 4 Mawrth 1885: 'Went to Oxford and took my degree [Chwefror 1885] . . . stayed with Owen E. and Puleston, both of whom are in high spirits. Owen has not yet acclimatized, but Puleston is exceedingly happy.'[18] Flynyddoedd yn ddiweddarach, mae Maurice Griffiths yn mynegi barn debyg am Puleston:

Yr argraff a adawodd ar fy meddwl oedd ei fod o'r cychwyn cyntaf yn fwy cartrefol yn Rhydychen nac odid neb ohonom; yr oedd ynddo lai o'r hyn a elwir heddiw yn gymhleth y taeog (*inferiority complex*) . . . Yng Nghymru y graddau sy'n cyfrif, efallai'n ormodol, eithr yn Rhydychen y cwrs a'r bywyd sy'n bwysig, ac yn y cylch hwn yr oedd yr *inferiority complex* yn rhwystr . . . Ychydig os dim o'r swildod hwn oedd yn Puleston. Paham ni allaf esbonio; efallai bod ei ddallineb yn gymorth iddo, ond gwell gennyf fi briodoli ei oruchafiaeth i gryfder cynhenid ei bersonoliaeth.[19]

Serch y traethodau hirfaith a gyfansoddodd – ymhlith ei bapurau ceir y cofnod, 'I have been up all night essaying' – a mynychu darlithoedd nad oedd yn orfodol i'w gwrs gradd, mae'n syndod pa mor gyson y derbyniai wahoddiadau i fynd i giniawa:

The Master & Fellows of Balliol College
request the pleasure of
Mr J. Puleston Jones
Company at Dinner on Monday
June 27th 1892 at 7.30 p.m.
To meet the Bishops of Oxford, Colchester, Guildford
and other Members of the College. [20]

Yn ystod ei drydedd flwyddyn wynebodd brofedigaeth erwin. Yn Ionawr 1887 bu farw Edward, ei frawd ieuengaf, yn 17 mlwydd oed. Rhwng ei eni yn 1870 a'i farw ar 14 Ionawr 1887, roedd y teulu wedi symud o London House i Mount Place. Byddai Edward, serch y gwahaniaeth oed, yn darllen i'w frawd ac yn llythyru ag ef. O fod wedi colli merch yn naw mis oed yn 1865 ac un arall yn ddwy oed yn 1868, roedd marwolaeth Edward yn fachgen ifanc, disglair, yn ergyd drom i'r rhieni.[21]

'Gwnewch gyfrif mawr o'r addysg ac o'r ysgol: ond gwnewch fwy o gyfrif o'ch cartref' oedd cyngor Puleston i'w chwaer fach.

Yr un mis yn union roedd ei chwaer fach, Jane Augusta, a oedd yn 12 oed, yn dechrau fel disgybl yn ysgol breifat Kingston House yn Wrecsam. Anfonodd Puleston air ati o Rydychen, fwy yn arddull tad at ei ferch na brawd at chwaer:

> Peidiwch a gwneud dim yn unig am fod genethod eraill yn ei wneud. Darllenwch ryw gyfran o'r Beibl bob dydd: darllenwch o yn Gymraeg . . . A ganiateir i chwi fynd i Ysgol Sul Gymraeg? Pa un bynnag am hynny, darllenwch dipyn o Gymraeg bob dydd, a bydd popeth yn iawn. Gadewch i ni weld a fydd llediaith Saesneg ar eich Cymraeg erbyn gwyliau'r Pasg. Os daliwch chi dan hynny heb fagu llediaith, chwi ddaliwch wedyn yn burion.[22]

Gydag argyhoeddiadau Rhyddfrydol y tad, byddai'r rhieni hynny yn barod i dalu am fanteision cydradd i'r genethod pe teimlent fod hynny'n fanteisiol. Dyna pam, yn ddiamau, y bu'n rhaid i Augusta adael cartref. Ysgol wedi ei sefydlu ar batrwm y 'London High and Collegiate Schools' oedd

Un o amryw lythyrau O. M. Edwards o'r Archif.

yr ysgol yn Wrecsam, gyda phwyslais ar ieithoedd a'r celfyddydau, a cherddoriaeth yn arbennig. Does ryfedd fod ei brawd mawr yn pwysleisio pwysigrwydd ymarfer y Gymraeg.

MY DARLING ANNIE

I droi at hanes ei garwriaeth gydag Annie Alun yn ystod blynyddoedd Rhydychen, nid cariad ar yr olwg gyntaf oedd hi; nid y byddai'r *gweld* hwnnw wedi bod yn bosibl i Puleston. Meddai Dyfed – y gweinidog a'r archdderwydd – wrtho unwaith, 'Mi leciwn i'n arw weld yr etholedig arglwyddes,' i gael yr ateb doniol, ingol, 'Mi leciwn innau hefyd.'[23] Roedd yna berthynas cig a gwaed rhwng y ddau gariad, gan y tarddai mam Puleston a thad Annie, Glan Alun, o'r un cyff. Yn ferch ifanc, os nad yn blentyn, âi ar ei thro i aros i'r Bala ac arferai ddarllen i Puleston.

Ar y dechrau, cafodd Glan Alun neu Thomas Jones – siopwr a droes yn bregethwr – gryn amlygrwydd. Ac yntau yn ei dridegau cynnar, cyhoeddodd fath o gofiant ynghyd â chasgliad helaeth o lythyrau, *Fy Chwaer*, i olrhain hanes a thystiolaeth ei chwaer ddiwylliedig, Margaret, a fuasai farw'n ifanc. 'Peth anghyffredin,' chwedl David Puleston, 'mewn cyfnod lle ceid cofiannau di-rif i bregethwyr ond dynion oll.'[24] Nid yn unig daeth i amlygrwydd am ei ddoniau fel bardd ac eisteddfodwr, areithydd ac awdur, ond am resymau llai derbyniol.

Glan Alun, Thomas Jones, 1811-1866, a'i fywyd lliwgar - serch ei drem.

Os oedd Evan Jones yn ŵr busnes llwyddiannus, math o 'Sioni pob swydd' fu Glan Alun gydol oes a'r swyddi hynny'n ymestyn o fod yn fferyllydd a siopwr i fod yn bregethwr a thrafaeliwr. Gan i'r ddau fyw yn yr Wyddgrug, unwaith, roedd Daniel Owen

‘Gwyddai Glan Alun yn burion pa fodd i *wario* arian; ond am *wneud* arian yr oedd hon yn wybodaeth ryfedd iddo ef,’ Daniel Owen.

yn ei adnabod yn dda.[25] Aeth i drafferthion ariannol, i yfed yn ormodol a chafodd ei ddiarddel gan ei enwad, y Methodistiaid Calfinaidd. Os cafodd Puleston fagwraeth freiniol, magwraeth wahanol iawn a gafodd ei Annie. Bu farw ei mam hi, Anne, yn 1856, y flwyddyn y ganed hi, a hithau’r ieuengaf o chwech o blant.[26]

Yn 1865 ailbriododd Glan Alun ac mewn rhifyn o’r *Dysgedydd* adroddodd Gwalchmai – gweinidog a bardd – beth o’i hanes o hynny ymlaen:

> Yn y flwyddyn 1865, aeth Mr. Jones i’r sefyllfa briodasol am yr ail waith, a’r tro hwn, fel y dywedir, gydag un y bwriadasai ymuno â hi tua phum’ mlynedd

Dr John Roberts, cenhadwr ar fryniau Casia. Ei briod, Sidney Margaret, ar y chwith iddo, yn chwaer hŷn i Annie Puleston.

> ar hugain yn ôl, sef Miss Jones, Mancoed, Penarlag. Ni adawodd hi ei chartref, ac roedd ei fasnach yntau a'i blant yn aros yn y Wyddgrug fel o'r blaen. Yr oedd hwn yn amgylchiad lled hynod a lled anhawdd i'w wastadau yn foddhaol . . . Bu Mr. Jones farw cyn pen blwyddyn ei briodas ddiweddaf, sef y nawfed dydd ar hugain o Fawrth 1866.[27]

Yng Nghyfrifiad 1881, ceir enwau Puleston a'r brawd agosaf ato, Robert Lloyd, yn aros yng nghartref Annie yn Mancott Lane fel ymwelwyr – rhai teuluol wrth gwrs.[28]

Mae casgliad llythyrau caru blynyddoedd Rhydychen – a llythyrau unffordd, Puleston at Annie, ydi bron y cyfan – yn llawn o ramant dau ifanc wedi syrthio mewn cariad. Wn i ddim pryd yn union y bu'r syrthio hwnnw, ond mae'r iaith yn cynhesu fel mae'r serch yn dyfnhau. Dichon mai rhwng difri a chwarae yr ysgrifennodd ati fel hyn o 45 Stryd Marston wedi iddo gyrraedd Rhydychen am y waith gyntaf, 10 Hydref 1884: 'Dear Miss Jones, I mean Annie.' Yn raddol, aeth 'My *dear* Annie' yn 'My *darling* Annie' ac aeth 'Your *affectionate friend* John' yn 'Yours *lovingly* John' – a chynhesach na hynny.

Mae yna densiynau'n brigo i'r wyneb, ar dro. Un achos oedd fod Puleston yn abl i deipio'i lythyrau caru, a mynegi'i deimladau heb gyfyngiadau, ond dibynnai ar arall, neu eraill, i ddarllen llythyrau Annie. Yn nyddiau eu harhosiad yn Merton Place byddai Owen Edwards wrth y gwaith ac, yn ôl traddodiad, roedd o'n hoff o Annie. Mae David Puleston yn cofio fel yr hoffai ei nain [Myfanwy, merch Puleston] adrodd hanes y teulu yn cael swper a'i thad yn dweud, gyda gwên, iddo weld O. M. ar blatfform stesion Caer ar ei ffordd adref, ac wedyn yn gofyn, 'Myfanwy, ydi gwyneb dy fam yn cochi?' Ar dro, mae Puleston yn cwyno fod ei ddyweddi yn oer ei theimladau tuag ato. Fel yr awgrymwyd, roedd hi'n anodd iawn i Annie, druan, roi maint ei serch ar bapur gan wybod mai arall a fyddai'r cyntaf i ddarllen y geiriau hynny! Yn nes ymlaen, cafodd y cyfarwyddyd dyrys a ganlyn oddi wrtho:

> My darling Annie,
> Write just as you would if Owen Edwards were the reader, not as you did when he was the reader, for some progress has surely been made since then, but as you would if he were here to read now. You may trust me not to give your letters to anyone who would make a profane use of them.[29]

Un tyndra arall oedd diddordeb byw Puleston yn y rhyw deg gan ymylu ar fflyrtian. O leiaf daw'r gair hwnnw i'r golwg yn ei lythyrau fwy nag unwaith. Yn ystod haf 1887 daw 'morynion Tal-y-Sarn' i'r potes. Teipiodd y canlynol nos Sul, 27 Gorffennaf, ac yntau wedi pregethu'r dydd hwnnw yn Nyffryn Nantlle: 'Two maidens, the nicest I have seen for a long time, took us both [?] for a drive to Dinas Dinlle . . . With one of those damsels I nearly fell in love.' Fis yn ddiweddarach, anfonodd Puleston neges arall at Annie, sylwadau, dybiwn i, a fyddai wedi'i hanesmwytho fwy fyth:

'Or has the Tal-y-Sarn story irritated you? My flirting there was of the mildest sort. You must prescribe the exact amount of flirtation that you [allow] me to indulge in.'[30]

Faint bynnag o ryddid a ganiataodd ei Annie iddo, fe ymddengys i mi mai – fel yr emynydd – 'syrthio ganwaith i'r un bai' fu ei hanes. Fel hyn yr ysgrifennodd ati o'r Bala yr Awst canlynol:

> I walked up to the Arennig from Bwlch y Buarth with Mrs. Lemuel Jones, the celebrated widow from Pwllheli. She has such an affecionate way of taking one's arm. I can understand people falling in love with widows. There was in Auntie's company a delightful girl about 19, a Miss Harris, whom I hope to see again at the Wrexham Eisteddfod. She took my fancy most decidedly, her one great fault being that she cant talk a word of Welsh.[31]

Cicio a brathu diniwed ddigon, mae'n debyg, ydi'r dyfyniadau uchod a chariad, o'r herwydd, i'w weld yn magu ac yn tyfu.

Mwy syndod i mi oedd gweld mai yn Saesneg yr ysgrifennai'r ddau at ei gilydd. Roedd Annie Alun yn ferch i bregethwr a llenor a fu'n doethinebu am orgraff yr iaith Gymraeg ar dudalennau *Goleuad Cymru*. Ar y pryd, wrth gwrs, doedd llythyru fel hyn yn yr iaith fain ddim yn eithriad. Dim ond at ddiwedd ei dymor yn Rhydychen y daeth Owen Edwards i lythyru yn Gymraeg; yn Saesneg yr ysgrifennai at ei gyd-efrydydd: 'Dear Puleston . . . Will you lunch with me to-morrow at 1. Owen Edwards.'

Daeth archwaeth newydd at yr iaith Gymraeg, blas ar drafod yr orgraff a cheisio safon yn y modd yr ysgrifennid hi.

Y 'DAFYDD' A'R DEFFRO

Yr un pryd, roedd yna ddadeni ar waith a myfyrwyr Rhydychen â rhan amlwg yn y deffro hwnnw – Puleston yn eu plith. Un o sgileffeithiau'r dadeni hwn ydi hanes sefydlu Cymdeithas Dafydd ap Gwilym. Nos Sadwrn, 6 Mai 1886 oedd y dyddiad, a saith myfyriwr o golegau Prifysgol Rhydychen yn cyfarfod yn ystafell Owen Edwards yn Museum Place i drafod materion Cymreig gyda Puleston yn eu mysg. Penderfynwyd y dylid cyfarfod yn anffurfiol o gylch y tân yn ystafelloedd ei gilydd, yn yfed te a smocio, i wrando sgyrsiau ac i ymddiddan am lenyddiaeth, trafod orgraff yr iaith Gymraeg a chanu alawon.

O gofio mai myfyrwyr a'i sefydlodd, ceid digonedd o ddireidi a dychan yn y cyfarfodydd. Roedd gan y Gymdeithas rai defodau ffurfiol a swyddi gyda theitlau mawreddog: Arch-dderwydd ac Arch-fardd, Arch-arogldarthydd (a ofalai fod baco i bawb) ac Arch-offeiriad. Puleston oedd hwnnw, a châi hwyl ar ganu'r hen alawon megis, 'Y bachgen main', 'Gwenno fwyn gu' neu 'Fel roeddwn i'n rhodio'r caeau'. Pencantwr arall oedd ei ffrind agos, Maurice Griffiths

I boblogeiddio'r digwyddiadau, ac i beri i'r hanes gerdded, byddai'r aelodau yn anfon hanes y cyfarfodydd i wahanol gylchgronau a phapurau newydd. Puleston oedd i ohebu â'r *Seren*, papur y Bala. Cyfrannodd adroddiad doniol ryfeddol pan gyfarfu'r Gymdeithas yn y Bala, ddydd Mawrth, 24 Gorffennaf 1888, ac amryw, o orfod, yn absennol:

Gwyddai pawb fod yr Arch-dderwydd yn hêl straeon yng nghymdogaeth Llanuwchllyn, ac ni pheidiodd amryw o'r rhyw deg oedd ar yr Arenig ochneidio yn ddwys ac aml oherwydd ei absenoldeb . . . Etholwyd Mr. Evan Jones, Mount Place, yn gynrychiolydd i J. M. Jones [John Morris-Jones], fel arch-fardd, ac ni ddisgynnodd ymadroddion mwy barddonol dros wefusau Arch-fardd erioed . . . Ond am y tê! Ni

CYMDEITHAS DAFYDD AP GWILYM 1887
Rhes gefn: T G Owen; W D Roberts; Robert Williams; J Morris Jones; J Arthur Jones; J O Thomas Rhes ganol: J Gwenogfryn Evans; Owen M Edwards; Professor J Rhys; W Ll Williams; J Puleston Jones Rhes flaen: Maurice Griffiths; Edward Annwyl; D Lleufer Thomas

> chafodd Cymdeithas Dafydd ap Gwilym erioed y fath dê ag a gawsom gan Mrs. Jones, Mount Place, y diwrnod hwn . . . Enynodd y tân ym mynwes Puleston a chanodd yntau 'Fentra Gwen' nes oedd pawb mewn hwyl . . . Yna ymunodd pawb mewn emyn cynulleidfaol ac ymadawyd, rhai i fyned i'r Bala, eraill i geisio hudo pysgod Tryweryn i'w dinistr.[32]

Os mai addysg glasurol oedd hi yn y gwahanol golegau, diwylliant oedd yn mynd â hi yn y 'Dafydd'. Haearn yn hogi haearn oedd hi, a chyfle i rwbio ysgwyddau â rhai a oedd yn athrylithoedd. Roedd John Morris-Jones ac Edward Anwyl, yr ysgolhaig Celtaidd, ymhlith y saith a sefydlodd y Gymdeithas, a'r Athro John Rhŷs oedd ei Llywydd cyntaf. Yn yr Archif, ceir y nodyn cynnil, canlynol: 'Dear Jones [Puleston] Can you breakfast with me at College at 9 next Sunday? Yours truly J. Rhŷs.' Yn ôl yr Athro, Puleston a'i gymdeithion oedd 'y to hynotaf o Gymry' a fu yn Rhydychen yn ystod ei gyfnod o.

Academydd disglair arall o tua'r un cyfnod oedd Henry Fawcett, yr Aelod Seneddol; colli'i olwg yn 25 oed, wedi iddo raddio, oedd hanes Fawcett a Puleston yn ddall o'i fabandod.

Y FATH LWYDDIANT

Wedi degawd o golega hir ar bnawn Iau, 5 Gorffennaf 1888, cyhoeddodd y Brifysgol fod 'John P. Jones' ymhlith y naw myfyriwr a oedd wedi ennill gradd dosbarth cyntaf mewn Hanes Diweddar. Drannoeth, ymddangosodd y manylion ar dudalennau'r *Daily News*.

Dylifodd y llongyfarchion ato o bob cyfeiriad, a rhaid

i mi ddethol o'r Archif. Meddai John Rhŷs, mewn nodyn ato, 6 Gorffennaf: 'I was not surprised.' Anfonodd Jowett air tebyg ato gan ei wahodd i ginio. Anfonodd Puleston air i ymddiheuro am na allai dderbyn y gwahoddiad ond, yn bennaf, i ddiolch yn gynnes iddo am y gofal a dderbyniodd: 'The College and you personally have been all the while most indulgent, and always ready to help, so that difficulties which, before coming to Oxford, I thought would be serious, have not hampered me in the least.' Ar 20 Gorffennaf anfonodd D. R. Thomas, fferm 'Gaerfechan, Cerrig-y-drudion', lythyr ato yn enw Jeriwsalem, eglwys y Methodistiaid yn y pentref, yn ei longyfarch ond yn gwneud hynny gyda phryder: 'Goddefwch i mi eich llongyfarch ar eich llwyddiant . . . ond yr ydym yn ofni am y dyfodol, gan mai ychydig o'r Bachelors of Arts y byddwn yn llwyddo i'w cael i'n gwasanaethu ar y Sabbath.'

O'r holl longyfarchion a dderbyniodd, yr un mwyaf diddorol i mi, a'r cyntaf i'w gyrraedd, oedd telegram a anfonodd un o'i gyd-fyfyrwyr ato. Fe'i hanfonwyd o Rydychen 4.30 bnawn Iau, 5 Gorffennaf, a'i ddanfon at ddrws Mount Place, y Bala, hanner awr yn ddiweddarach, 'Rwyt ti a finnau yn y Blaenaf ddosbarth, Robert Williams.'[33] Bron na allaf synhwyro brys a llawenydd y sawl a'i hanfonodd a dychmygu, yr un pryd, orfoledd Puleston a'i deulu o'i dderbyn, a'r llanw, wedyn, yn llifo allan i strydoedd y Bala ac ymhell tu hwnt.

YN GYMRO PUR YN PRINCES ROAD

'Gwlad Gristnogol oedd Cymru ym 1890,' yn ôl R. Tudur Jones, a'r 'genedl â'i hwyneb tua'r wawr.'[1] A honno oedd blwyddyn lawn gyntaf Puleston yn weinidog yr efengyl. Cyn iddo adael Rhydychen cafodd awgrym, a hynny gan Jowett, y Prifathro, y gallai gario ymlaen ar lwybrau dysg – ac aros ymlaen yn Balliol, o bosibl – ond gwrthododd neidio at yr abwyd. Fel y gellid disgwyl, gwnaeth hynny'n gwrtais gan ddatgan ei fod am ddychwelyd i Gymru 'i bregethu'.

CODI GALWAD

Ar y pryd, fe sefydlid gweinidog yn rhywle bron bob dydd o'r flwyddyn ac agor capel newydd bron bob pythefnos.

Un peth oedd pregethu yn ôl y galw; roedd cael bwlch i fod yn fugail eglwys – un taledig a llawn amser – yn fater gwahanol. Un rheswm oedd y llawnder. Nid hynny, fodd bynnag, a barodd i Puleston orfod oedi. I ddyfynnu ei gyfaill, Maurice Griffiths, mewn rhifyn o'r *Drysorfa*, 'Dychwelodd i Gymru wedi graddio yn y dosbarth cyntaf, a mawr oedd gofid a siom llawer ohonom am nad oedd mwy o frwdfrydedd i roi galwad iddo.'[2] 'Eglwys Gymraeg a chwenychai Puleston i'w bugeilio,' meddai ei gofiannydd wedyn, 'ond petruso ei alw a wnâi'r Pwyllgorau Bugeiliol.'

Nid amheuon ynghylch ei ddoniau fel pregethwr oedd yr achos. Anaml, os byth, y byddai rhai prinnach eu doniau yn cael gwahoddiad i gyrddau mawr, ond roedd Puleston yn ffefryn yr uchelwyliau ac yntau yn ddim ond myfyriwr. Er enghraifft, yn 1881, ac yntau yn ddim ond 19 oed, y fo oedd y 'pregethwr gwadd' yng nghyfarfod pregethu blynyddol eglwys Clwyd Street, Y Rhyl. Yn Archif Puleston ceir taflenni'n cyhoeddi 'Rev. J. Puleston Jones of Balliol College, Oxford' i bregethu (yn Saesneg) yng Nghwrdd Pregethu Blynyddol Capel Cymraeg Presbyteraidd Rochdale, 1 Mehefin 1885, ac yn Tyldesley, 4 Ebrill 1886. (Gan nad oedd Puleston wedi'i ordeinio ar y pryd, rhodd heb ei haeddu oedd y 'Rev.' o flaen ei enw.) Wedyn, yn Awst 1886, aeth ar ei daith bregethu gyntaf gyda Gwynoro Davies, a oedd yn weinidog yn Llanuwchllyn ar y pryd, gan bregethu yn Nhregaron, Llanpumsaint, Caerfyrddin, Llanelli, Treforys, Pontypridd a Phontmorlais.[3] A syndod pob syndod, Puleston oedd pregethwr gwadd oedfa Saesneg y Gymdeithasfa yn Ninbych, ym Mehefin 1888, adeg ei ordeinio'n weinidog.

Serch y straeon a oedd ar gerdded am allu gwyrthiol y 'pregethwr dall' i orchfygu ei amgylchiadau, amheuai amryw a allai gadw'r urddas a berthynai i'r gwaith. Er enghraifft, beth am weinyddu'r Cymun? Beth am yr ymweld, wedyn, a'r treiglo o dŷ i dŷ ac yntau yn gwbl ddall? Wedi'r oedi, eglwys Saesneg Princes Road, Bangor, a agorodd y drws iddo – a'i agor led y pen.

Os mai 'Eglwys Gymraeg a chwenychai Puleston i'w bugeilio' bu pwysau arno, o'r dechrau, i feddwl yn wahanol. Er enghraifft, yn union wedi iddo raddio derbyniodd lythyr Saesneg hirfaith, brysiog ei arddull, oddi wrth D. Charles Edwards, 20 Church Street, Merthyr yn ei longyfarch ar ei gamp. Brawddeg yn unig ydi hyd y llongyfarchion: 'My dear friend. I was very glad to hear of your success in the Finals at Oxford, and hasten to congradulate you.' Arall oedd gwir fwriad y llythyr. Wedi ymffrostio yn llwyddiannau anhygoel achos Saesneg y Presbyteriaid ym Merthyr – yn ystyried codi adeilad dwbl y maint, a newydd brynu capel arall mewn pentref gerllaw – daw at ei wir neges, 'I strongly hope that

Capel Princes Road, Bangor, cartref yr eglwys a agorodd ddrws ymwared i Puleston yn 1888.

you will choose as your special field the work among our English-Causes.' Serch y Saesneg, byddai'r ddau yn adnabod ei gilydd yn dda iawn; ar y terfyn ceir atodiad, yn Gymraeg, 'cofiwch fi at bawb.' Wedi'r cwbl, roedd y llythyrwr yn un o feibion yr enwog Lewis Edwards y Bala; gŵr yr oedd Puleston yn ei hanner addoli.[4]

Syr Henry Jones, y 'crydd athronydd', 1852-1922.

Ddechrau Hydref 1888, wedi deall fod yna eglwysi eraill yn awyddus i'w ddenu, penderfynodd eglwys Saesneg y Presbyteriaid ym Mangor estyn gwahoddiad iddo. Yr un pryd, i roi mwy o abwyd ar y bachyn fel petai, anfonodd Henry Jones air personol ato. Roedd yr athronydd, erbyn hynny, yn darlithio yng Ngholeg y Brifysgol ym Mangor ac yn aelod o'r eglwys. Mae'r llythyr a ddiogelwyd yn un hynod ffurfiol, yn dechrau gyda 'My dear Mr. Jones' ac yn diweddu 'Yours very cordially, Henry Jones.' Dydi'r awdur ddim am ymyrryd – er ei fod yn gwneud hynny – ond hoffai bwysleisio, o benderfynu dewis achos Saesneg na fyddai unman yn well iddo na Princes Road. Pe na ddeuai, ei ofn pennaf oedd y byddai'r efengyl yn cael ei chyflwyno i'r myfyrwyr a addolai yno 'in an unscholarly, and repulsive form.'[5]

Wedi oedi mis, ddydd Mawrth, 9 Tachwedd 1880, anfonodd Puleston lythyr yn derbyn y gwahoddiad.[6] Eglwys ifanc iawn oedd Princes Road pan gyrhaeddodd Puleston yno. Mewn cymhariaeth â rhai o eglwysi Cymraeg y ddinas, eglwys fechan oedd hi: oddeutu 70 ar y dechrau, 103 pan gyrhaeddodd Puleston yno a 112 pan oedd yn ymadael bum mlynedd yn ddiweddarach gyda nifer y plant, er yn amrywio'n gyson, yn troelli o gwmpas 80. Dichon nad maint yr eglwys, na'i hieuengrwydd, oedd yr her i Puleston ond yr iaith. Nid ei ddiffyg Saesneg. Wedi'r deffroad hwnnw yn Rhydychen, Cymraeg oedd iaith ei galon.

BU YN GYSTAL Â LLYGAID IDDO

Drannoeth derbyn yr alwad, anfonodd lythyr at Annie; llythyr, serch mor gynnil, sy'n clymu amryw o bennau ac yn datgelu rhagor eto:

> Yesterday I return answer to Bangor that I would go, and so to Caernarfon that I could not go. The Ffestiniog people wrote again and I gave them too the final negative reply today. You are not vexed with me for this are you? I know you have the same prejudice against the Upper Bangor people which I had myself; but before you will be ready to join your lot to mine I may yet be ready to leave Bangor. For I intimated to the elders, that I did not mean to take English work for more than three or four years.[8]

Felly, nid Princes Road oedd yr unig lwybr a oedd yn agored iddo, er nad yw'n manylu ar y ddau gynnig arall. Yr wybodaeth gyfrinachol yn dilyn sy'n ddadlennol: y posibilrwydd y byddai'i ddyweddi'n flin o ddeall am ei benderfyniad, a bod y ddau yn rhannu'r un math o 'ragfarn yn erbyn pobl Bangor Uchaf'– er nad yw'n manylu am hynny chwaith. Yna, yr awgrym annisgwyl mai byr iawn fyddai ei arhosiad yno. Mae'n arwyddo'i lythyr gydag addewid fwy parhaol, 'ever yours lovingly John' a'r ôl-nodiad, 'O yes, thank you for the s[c]ented geranium. [Th]at and the letter repeatedly kissed already.'

Ar ddiwedd ei flwyddyn gyntaf yn weinidog ym Mangor roedd yna awr lawen iawn i ddigwydd yn ei hanes. Y dydd olaf o Ebrill 1890 fel hyn yr ysgrifennodd at 'my darling Annie', 'How is it that you can be so winning at times, and so irritating again, when the causes of the change are apparently so slight?' Yna, mae'n cyffesu ei bechod yntau, 'My temper is worse these days than it has been for 12 months. I fear I am getting soured by the world'.[9]

Nid fod y cicio a'r brathu hwnnw, oedd yn dyfnhau'r serch, wedi llwyr beidio.

Fodd bynnag, ddechrau mis Rhagfyr 1890 hysbysodd ei gyfaill, Owen Edwards, o'i fwriad i briodi. Aeth O. M. ati rhag blaen i rannu'r newyddion gyda'i gariad yntau, 'Y mae gennyf un newydd i chwi ar ddiwedd y llythyr anyddorol yma, – y mae Puleston yn myn'd i briodi ar yr unfed ar bymtheg o'r mis yma, ac yn mynd i dreulio ei fis mel i Glifton. Peidiwch a son wrth neb, – y mae'n secret mawr.'[10]

Ddydd Mawrth, 16 Rhagyr 1890, yng nghapel y Presbyteriaid Saesneg ym Mancot, ger Penarlâg, y bu'r briodas gyda'r gweinidog, Richard Jones, yn gweinyddu a Chymraeg oedd iaith y gwasanaeth. Mary Emily, chwaer Puleston, oedd y forwyn gyda ffrind coleg iddo, a chyd-weinidog erbyn hynny, Maurice Griffiths, yn was. Yn ôl yr adroddiad yn y *Seren*, 25 yn unig a wahoddwyd i'r brecwast ond fin nos roedd yna

Llun eithriadol brin o Little Mancot, y tŷ ffarm oedd yn gartref i ail wraig Glan Alun ac i Annie, gwraig Puleston, yn ddiweddarach - wedi iddi golli'i mam.

ddathlu drachefn: 'Croesawodd y Parch a Mrs Richard Jones holl aelodau Eglwys Bresbyteraidd Seisnig, o'r hon yr oedd y Briodsasferch yn aelod, yn eu tŷ yn yr hwyr.'[11]

Os mai cwmni bach a eisteddodd wrth y byrddau, mae rhestr yr anrhegion a dderbyniwyd yn un hirfaith ryfeddol. Cofiodd ei hen athrawon yng Ngholeg y Bala am y cynfyfyriwr disglair: yr enwog Ellis Edwards wedi cyfrannu lliain bwrdd a Hugh Williams, rŷg ar gyfer teithio – un i ddiddosi dau, dybiwn i. Tirluniau mewn fframiau derw oedd cyfraniad Evan Jones, y tad. Yn ddiarwybod i'w gilydd, mae'n debyg, roedd mam Puleston a'r 'Prof. O. M. Edwards, B.A., Lincoln College' wedi prynu 'sturdy marble time-piece' yr un.

Cofiodd ei gyfeillion newydd ym Mangor amdano, a'i anrhegu â 'swm o aur'. Ymhlith ei bapurau, ceir cerdyn gwahoddiad yn enw eglwys Princes Road: 'You are invited to the Queen's Head Cafe next Monday, March 16th, 1891, at 7 o'clock, when a presentation will be made to the Rev. J. Puleston Jones, B.A., the Pastor of the Church, in celebration of his marriage. Music and Refreshments.' Does dim cyfeiriad at y wraig newydd, er mai'r briodas ydi testun y dathlu, ond mae'n fwy na thebyg iddi gael gwahoddiad.

Megis y bendithiwyd ef â mam ragorol, bendithiwyd ef hefyd â phriod a fu yn gystal â llygaid iddo.

Nid gormod ydi dweud i'r briodas fod yn anadl einioes i Puleston. Anodd coelio, ond un o'r pethau a wnaeth Annie wedi ei phriodas oedd dysgu gwyddor yr iaith Roeg i gael darllen iddo yn yr iaith honno. Mae'n debyg iddi adael Hebraeg yr Hen Destament i rai a gafodd hyfforddiant coleg.

O hyn ymlaen, sefydlwyd patrwm gwaith y dydd ar gyfer y ddau ohonynt fel ei gilydd:

> Rhwng borebryd a chinio darllenid i Puleston gan ei briod fel rheol am ddwyawr neu dair. Pwrcasid llyfrau newydd yn barhaus a deuai llyfrau benthyg yn gyson o Lyfrgell Coleg y Bala, Llyfrgell y Dr. Williams Llundain, a mannau eraill. Dichon mai gyda'i ysgrifiadur [teipiadur] y byddai Puleston ran o'r prynhawn, darllenai ei briod ei lythyrau a'i ysgrifau i gywiro'r gwallau, a mynd allan wedyn ill dau i fugeilio. Oni fyddai ymwelwyr, neu gyfarfod yn y capel, ceid hamdden da i ddarllen wedyn cyn swper.[12]

Nid dyma'r lle i fanylu, ond mae'n anhygoel meddwl iddi wneud hyn, pan fyddai ei phriod ar gael, gydol y briodas ac i'r llafur gynyddu a phrysuro fel y deuai Puleston i fwy o amlygrwydd a derbyn mwy o gyfrifoldebau. Wrth gwrs, gan fod cyflog Puleston yn un gweddol sylweddol – £200 y flwyddyn, ac ychydig yn rhagor – a hynny pan oedd nifer o weinidogion yn byw o'r llaw i'r genau, roedd hi'n bosibl cyflogi morwyn i ofalu am y gwaith tŷ. Yn achos Puleston, nid moethusrwydd oedd hyn ond cymorth hanfodol.

Does yna fawr ddim ar gael i brofi beth oedd ymateb ei briod fel 'gwraig gweinidog' yn y Capel Saesneg ac i wybod a ddiflannodd y rhagfarnau hynny a oedd ganddi cyn cyrraedd yno. I ychwanegu at eu cyfrifoldebau, yn ystod eu blynyddoedd ym Mangor daeth dau o blant i'r aelwyd: Alun Puleston, 4 Hydref 1891, a Martha Myfanwy, 18 Ionawr 1895. 47 Albert Place oedd cartef Puleston ar y dechrau ond symudwyd wedyn i 1 Summer Hill.

WRTH EI WAITH

Does yna fawr mwy ar gael, chwaith, am ymateb Puleston i'w weinidogaeth yn Princes Road. Gofalus ryfeddol ydi'r wybodaeth yn y Llyfr Cofnodion a'r Adroddiadau Blynyddol. Roedd hi'n amlwg i mi ei bod hi'n eglwys genhadol ei hysbryd, yn gweithredu yn lleol ym Mangor a thu hwnt, a byddai Puleston o blaid hynny. 'We're all that could be expected' ydi barn hunanfodlon y swyddogion ar ddiwedd 1891, ond o hynny ymlaen ceir apeliadau cyson am fwy o ffyddlondeb i'r cyfarfodydd.

Y weinidogaeth ddisgwyliedig fu hi o du Puleston; yr un anghydffurfiol, Gymreig – ar wahân i'r iaith. Pregethai yno fore a hwyr un Sul o bob mis gan weinyddu'r sacramentau yn ôl y drefn neu'r galw. Yn ôl y cofiant, mab i Syr Henry Jones oedd un o'r plant cyntaf a fedyddiodd y gweinidog. Ond meddai Puleston mewn llythyr at Annie, un Saesneg eto, 9 Gorffennaf 1889, 'I had my first baptism last night. Professor Grey's child, Euphemia Richardson. Gray himself handed the child.'[13]

'Puleston,' apeliodd Henry Jones, 'I want you to baptize my boy Jim. I want him to be received into the Fellowship of the Good.'

Arweiniai wahanol gyfarfodydd yn ystod yr wythnos gan ymddiddori'n fawr yn y plant a fynychai'r gwasanaethau a'r Ysgol Sul. Ar wahân i faterion diwinyddol neu grefyddol darlithiai ar bynciau llenyddol, megis 'Y Pedwar Mesur ar Hugain', 'Cynganeddion y Beirdd Cymreig', 'Ceiriog' neu 'Goronwy Owen'. Wrth ei waith, o ddydd i ddydd, crwydrai o dŷ i dŷ fel eraill o weinidogion y cyfnod; 'wedi ei arwain unwaith i dŷ aelod, nid oedd eisiau i neb ei arwain eilwaith.' Serch y cyfrifoldebau hyn, ni phallodd ei ddiddordeb mewn dysg a thrafodaethau ar lefelau uwch:

> Âi Matthews [gweinidog Capel y Graig, Penrhosgarnedd, ym Mangor] a Puleston unwaith bob wythnos am dair blynedd yn ystod tymor y Coleg, i ystafell y Proffesor Henry Jones yn hen Goleg y Penrhyn Arms. Deuai'r Proffesor Henry Jones, a'r Athrawon John Morris-Jones a William Lewis Jones [athro iaith a llenyddiaeth Saesneg]

Eglwys Gadeiriol Caergaint
Yma, yn y French Chapel, y pregethodd Puleston ar wahoddiad y Canon W H Freemantle, un o'i hen athrawon, yn Awst 1892.

atynt, a chai'r pump oriau dedwydd wrth drafod materion crefyddol, athronyddol a llenyddol. Ceid y digrif a'r difrif blith draphlith yn y seiat honno.[14]

Yn Awst 1892 cafodd gais i bregethu yn Eglwys Gadeiriol Caergaint; y Cymro a'r Ymneilltuwr cyntaf, meddir, i gael gwahoddiad o'r fath. Cyfeiriwyd at hyn mewn nifer o bapurau newydd. Mewn rhifyn o'r *North Wales Express* fe'i disgrifiwyd fel 'The blind pastor of Prince's Road'.[15] Rhaid bod Puleston, ei hun, wedi'i hystyried hi yn fraint oherwydd diogelwyd poster yn hysbysebu'r digwyddiad.

DŴR YN DEWACH NA GWAED

Yn ystod Etholiad Cyffredinol 1892 penderfynodd ei ewyrth,

brawd ei fam, Syr John Henry Puleston – Ceidwadwr rhonc a chyn-Aelod Seneddol dros Devonport – wrthwynebu Lloyd George, yr Aelod Rhyddfrydol dros Arfon. 'Radical Rowdyism at Pwllheli' a 'Cowardly Attack upon Sir John Puleston' oedd pennawd ac isbennawd rhifyn o'r *North Wales Chronicle*. Yr honiad oedd fod 'ffrindiau Mr Lloyd George' wedi lluchio llwch lli a mwd i wyneb Syr John ond iddo lwyddo i achub ei lygaid.[16]

Syr John Henry Puleston, 1830-1908, *entrepreneur* os bu un erioed.

Ceisiwyd llusgo Puleston i'r ymgyrch a phenderfynodd yntau fod argyhoeddiad yn bwysicach na llinach:

> Yr oedd Puleston yn edmygydd mawr o'i ewythr, a galwodd y canfaswyr Torïaidd i geisio dylanwadu ar ei nai i'w gefnogi. Er mai Rhyddfrydwr oedd tad Puleston yr oedd ei fam yn frwd dros ei brawd a daeth i Fangor yn llawn sêl drosto. Ond eu siomi a gafodd ei fam a'i ewythr y tro hwn. Ymateb cydwybod a wnaeth Puleston a gweithredu fel Rhyddfrydwr egwyddorol. 'Ar un amod, mam, y fotia i dros f'ewythr, nad af byth wedyn i bulpud,' meddai. Ymdaflodd i'r ymgyrch fel un o gefnogwyr eiddgar Mr. David Lloyd George.[17]

Wn i ddim beth oedd ymateb y fam na'r ewythr i safiad Puleston.

Lloyd George aeth â hi ond ddim ond o drwch blewyn: allan o 4,112 o bleidleisiau 196 oedd ei fwyafrif.

O ran yr ewythr, dwy natur mewn un person oedd hi. Bu farw 19 Hydref 1908. Chwech wythnos yn ddiweddarach, 5 Rhagfyr 1908, ar dudalennau'r *Times*, cyhoeddwyd ei fod yn fethdalwr. Ei wendid, gydol oes, oedd hwylio'n agos at y gwynt. 'The Impecunious Millionaire' ydi teitl darlith ddadlennol a draddododd Maldwyn A. Jones i Anrhydeddus Gymdeithas y Cymmrodorion.[18]

HIRAETH AM Y GYMRAEG

Yn 30 oed penderfynodd Puleston ymddiswyddo o fod yn fugail eglwys Princes Road. Fel y nodwyd, gyda math o anesmwythyd neu ragfarn y daeth Annie ac yntau i Fangor yn y lle cyntaf. Cyn cyrraedd, roedd Puleston wedi mynegi na fwriadai 'ymgymeryd â gwaith Saesneg' am fwy na thair neu bedair blynedd. Arhosodd am bum mlynedd union.

Mae awdur y cofiant am bwysleisio nad 'unrhyw anesmwythyd yn yr eglwys nac anfodlonrwydd arni' a barodd iddo godi'r swch o'r ddaear. Roedd hynny yn dri chwarter y gwir. Yn nes ymlaen, mae fel petai'n datgelu chwarter arall y gwirionedd:

> Prin y gellir honni i bregethu Puleston yn Mhrinces Road fod ar ei orau bob amser. Cyn y ceid ef yn ei afiaith, rhaid a fyddai wrth awyrgylch gydnaws a gwrandawiad llawn cyd-ymdeimlad a mynegiant. Gwir bod pobl ragorol ym Mhrinces Road, ond gweddusrwydd, defosiwn, a difrifwch urddasol a deyrnasai yng ngwasanaeth y deml. Syrthio yn ddi-effaith a wnâi rhai

> o sylwadau ffraeth y gweinidog – sylwadau a fyddai'n foddion i ddeffro cynulleidfaoedd eraill.[19]

Wrth gwrs, bu achosion Saesneg yr enwad, at ei gilydd, yn fwy eglwysig eu diwylliant a'r addoli'n fwy defosiynol; yn perthyn yn nes i'r traddodiad anglicanaidd.

Roedd yna hefyd 'anesmwythyd' ac 'anfodlonrwydd' ynglŷn â mater arall. Cwestiwn yr iaith oedd hwnnw. O graffu ar y rhestr aelodau ymddengys i mi fod nifer o Gymry Cymraeg yn eu plith. Yn wir, yn Gymraeg y mae cofnodion y pwyllgor a gafwyd i benderfynu sefydlu'r eglwys. Ond sefydlu achos penodol Saesneg a Seisnig oedd y bwriad. Fel y nodwyd, nid Saesneg fel cyfrwng mynegiant a flinai Puleston. Yn ôl ei fab yng nghyfraith, 'siaradai Saesneg ag acen Gymreig' gan wneud hynny 'gyda'r rhwyddineb mwyaf, a hwnnw'r Saesneg mwyaf dilychwin a choeth heb ynddo'r gronyn lleiaf o rodres na llediaith main.' Yna, ychwanega, 'dichon y buasai arddull ac acen wahanol yn fwy wrth fodd un dosbarth o wrandawyr.'

I gloi, fe ddywedwn i nad yr ymateb i'w acen, chwaith, a'i dwysbigai ond ei Gymreigrwydd cynhenid, wedi'i feithrin yn ystod ei fagwraeth yn y Bala a'i aileni yn ystod blynyddoedd Rhydychen. Naw mlynedd cyn i Puleston gyrraedd Bangor, serch ei fawr athrylith, gwrthododd yr enwad ordeinio Emrys ap Iwan am iddo feirniadu arweinwyr yr enwad yn sefydlu achosion Saesneg mewn ardaloedd Cymraeg a daeth yr 'Inglish Côs' yn destun dychan.[20] Hwyrach fod yr anesmwythyd a deimlodd yn ystod ei flynyddoedd ym Mangor mor greiddiol â hynny, ac

'Os byddwch anffyddlon i'ch gwlad a'ch iaith a'ch cenedl, pa fodd y gellir disgwyl i chwi fod yn ffyddlon i Dduw ac i'r ddynoliaeth?': Emrys ap Iwan.

mai symptomau arwynebol o'r tyndra oedd y mân anghytuno ynglŷn â naws yr addoli ac acen y pregethwr.

Wedi ymddiswyddo, oedodd Puleston ym Mangor am ddeunaw mis arall yn cyflawni popeth, bron fel o'r blaen, ar wahân i bregethu yno. 'Itinerant preacher' oedd y disgrifiad ohono yn y wasg Saesneg. Unwaith eto, go brin mai'r gormodedd gweinidogion oedd yr unig reswm am y prinder galwadau. Felly, o ble y deuai ymwared?

Ddechrau gaeaf 1895, yn ôl ei gofiannydd, 'daeth dau gennad o Ddinorwig' i 'erfyn' arno i ddod yno i'w bugeilio. Wedi bwrw'r draul gyda'i deulu, derbyniodd yntau'r gwahoddiad:

> Yn oedfa'r hwyr ar nos Sul Hydref 13, 1895 darllenwyd llythyr oddi wrth y Parchedig John Puleston Jones, M. A., yn addo dod i Gapel Dinorwig i'w bugeilio 'ar yr ystyried fod yr alwad yn unol.' Yn y bleidlais cafwyd 188 dros ei alw a 10 yn mynegi 'Na' [ac yn y rhif hwnnw roedd 5 yn erbyn a 5 heb bleidleisio o gwbl]. Rhyfeddod oedd fod 198 o'r 250 o aelodau'r capel y flwyddyn honno yn bresennol yng Nghapel Dinorwig y nos Sul hwnnw o Hydref.[21]

Wedi'r anesmwythyd ym Mangor does dim dwywaith nad oedd y Cymreigrwydd a oedd ym mro'r chwareli, a'r diwylliant a'r brwdfrydedd a oedd yno bryd hynny, yn apelio ato. Yn naturiol, nis gwyddai fod blynyddoedd dedwyddaf ei weinidogaeth ar wawrio.

DYRCHAFAF FY LLYGAID I'R MYNYDDOEDD

Yn ôl Alun Llywelyn-Williams yn *Crwydro Arfon* roedd hi'n werth iddo ddringo i Ddinorwig, sy'n tynnu at fil o droedfeddi uwchlaw y môr, 'pe bai ond i weld y fan lle bu Puleston Jones yn weinidog.'[1] Roedd hynny yn niwedd y pumdegau a dim ond hanner canrif, mwy neu lai, a oedd wedi mynd heibio ers i Puleston a'i deulu adael y fro. Unwaith, Chwarel Dinorwig oedd un o'r rhai mwyaf yn y byd ac yn agos i dair mil yn gweithio yno.

Cyn mynd ati i ysgrifennu'r bennod hon, bu'n werth i minnau ddringo'r llethrau, pe bai dim ond i gael cwmni y Canon Idris Thomas, un a fagwyd yn y fro ac sy'n adnabod pob troedfedd ohoni, o ben yr Esgair i Fawnog y Go, o Felin y Bedwargoed yn ymyl Llyn Padarn i Dan y Garet ar lethrau Elidir. Dyna, yn ôl y cofiant, faes bugeilio Puleston, a dyna'r darn o'r wlad y bûm innau'n ei grwydro yng nghwmni Idris: sgwrsio am Puleston a cheisio dychmygu'i flynyddoedd

Yn dilyn caeodd yr ysgol, yr eglwys a'r oll o'r capeli.

yn Ninorwig a'r Fach-wen oedd y bwriad. Cadw'r heddiw gwahanol allan o'r sgwrs oedd yn anodd: caeodd y chwarel yn 1969. Ar Gofeb y Chwarelwyr ym mhen draw'r pentref ceir englyn sy'n dechrau â'r cwpled:

> Ni welir ym mro'r chwareli – y rhawg,
> Oes â'r un stamp arni.[2]

'Mi awn ni i lawr i gyfeiriad y Pant,' awgrymodd Idris, 'inni gael golwg ar y capel.' Bellach, fe'i hysbysebir ar y gwefannau fel 'a stunning, converted chapel, pet friendly', gyda sawna a lle i 16 gysgu. Tramorwyr clên a ddaeth allan o'r tŷ capel wedi'u cyfareddu gan y golygfeydd. Drws nesaf, wedyn, mae Bron Myfyr, y tŷ helaeth lle trigai Puleston a'i deulu, yn edrych mor gadarn ag erioed a Gwyneth, merch o'r fro, yn byw yno. Yng ngardd y tŷ hwnnw mae yna lechen y cerfiodd Puleston ei enw arni gyda'i gŷn a'i forthwyl ei hun – a hynny serch ei ddallineb.

YM MRO'R CHWARELI

Gonestrwydd yn fwy nag addfwynder a nodweddai'r gymdeithas honno: 'Dywedent eu meddyliau yn ddifloesgni ac weithiau yn bur ddigwmpas, heb arbed na châr na chyfaill.'[3] Yn anorfod, arweinia hynny at densiynau. Bu rhai felly yno cyn i Puleston gyrraedd ac wedi hynny.

Os oedd y fro wledig fwy wrth ei fodd na'r ddinas, byddai ei chrwydro yn fwy anodd iddo ac yn fwy peryglus. Ar droed yr âi ar fân siwrneion. O feddwl am y llwybrau a droellai ar draws y llechweddau, â dyfnderoedd islaw iddynt, mae'n

anodd dirnad sut y llwyddai i ffeindio'i ffordd i dŷ a thyddyn, i ambell ffarm ym mherfedd gwlad neu i ddal y trên. Dyna'r 'peth rhyfeddaf yn ei hanes,' ym marn E. Morgan Humphreys, y newyddiadurwr, 'oedd y byddai yn cerdded ar ei ben ei hun o Ddinorwig i Lanberis ar hyd ffordd serth a dibyn chwarel aruthr ar un ochr iddi mewn un lle. Unwaith yr âi dyn dros yr ymyl honno ni buasai, i ddefnyddio hen air gwlad, yn werth ei godi.'[4]

Bryd hynny, byddai hanesion am wrhydri'r 'pregethwr dall', a grwydrai'r llechweddau wrtho'i hunan, yn cael eu hadrodd ar y bonc ac yn y caban ar awr ginio.

O gyrraedd stesion Cwm-y-glo, wedi bod ar un o'i deithiau, roedd rhaid dringo dwy filltir a hanner o ffordd gul, droellog i

Y Canon Idris Thomas a minnau yn mynd heibio i ddrws hen gapel Dinorwig.

gyrraedd Dinorwig; o gyrraedd arhosfa Felin Hen, yn y pegwn arall, ei hunioni ar draws gwlad ac i fyny am Ddinorwig oedd yr unig ddewis. Ond buan iawn, yn ôl ei gofiannydd, y 'daeth Puleston yn hollol gynefin â'r llwybrau culion ac â'r amrywiol droadau a oedd dros y llechweddau peryglus.'[5] Yn yr Archif ceir toriad o'r *Llangollen Advertiser*, 5 Ionawr 1906, yn adrodd fel roedd Puleston, 'drannoeth y Nadolig, wedi cerdded o Fetws-y-coed adref i Ddinorwig, pellter o 16 milltir.'

Roedd ganddo ddawn i fwy na chofio lle a nabod sŵn. Dyma atgofion R. D. Parry, un a'i cofiai o ddyddiau'r Fachwen, mewn rhaglen radio:

> Un bore Llun yr oedd fy nain yn danfon y moch i Ben y Llyn a fy mrawd yn mynd hefo hi. Y mae rheilffordd

> y chwarel yn croesi'r ffordd cyn cyrraedd Pen y Llyn, ac ar y gwastad, cyn cyrraedd y giatiau, pwy oedd yn dod ond Puleston, yn dod o'i gyhoeddiad oddi wrth y trên ddeg. Dyma fy nain yn dweud wrth fy mrawd, 'Rhed o'u blaenau rhag ofn iddyn nhw daro Mr. Jones.' Ond roedd Puleston wedi eu clywed a'u hadnabod. 'Hylo,' meddai, 'chi sydd yna? Mynd i bwyso'r moch ydach chi? Wel, rhoswch chi, mae yna hen lo cas wrth y giatiau yna, mi ddo i hefo chi.' Ac wedi cyrraedd, gosod fy mrawd wrth un porth ac yntau gyda'i fag a'i ffon wrth y llall, a disgwyl am y moch a nain. Ac fel roeddynt yn croesi, Puleston yn deud, 'Dyna un, dyna ddau, dyna chi mi ewch rŵan . . .'[6]

Y pnawn Sadwrn hwnnw yn nechrau Awst 2015 pan elwais i yn Nhrearddur i weld yr Archif a ddiogelwyd, nid y dogfennau a adawodd Puleston ar ei ôl yn unig a'm rhyfeddodd ond, yn ogystal, y celfi a'r dodrefn a luniodd. Os oedd tramwyo a marchogaeth ar hyd llwybrau llechweddau anhygyrch y Fach-wen a Dinorwig, a gwneud hynny yn ddidramgwydd a digwmni, yn rhan o'i athrylith, i mi mae ei grefftwaith fel saer yn gymaint rhyfeddod. Ym Mron Myfyr, roedd ganddo weithdy hwylus at y gwaith a chymydog o saer i ofyn am gyngor iddo.

Yn Ninorwig y daeth y cerddwr yn saer celfydd ac yn arddwr abl ar ben hynny.

Yn Ninorwig daeth Puleston yn geffylwr yn ogystal. Nid nad oedd ganddo ddiddordeb mewn ceffylau cyn hynny. Yn wir, yng Nghofrestr Coleg Balliol, heblaw cofnodi'i lwyddiannau academaidd, gyferbyn â'r gair 'recreations' ceir 'riding' a 'joinery'. Dic oedd enw'r ceffyl yn Ninorwig ac yn ei ddydd cafodd bron cymaint anfarwoldeb â'r Twrch Trwyth yn Chwedlau Arthur.

> Dic y gelwid y ceffyl nwyfus, heini, a gadwai Puleston yn Ninorwig, ac mewn direidi gelwid ei enw'n llawn, Richard Jones. Marchogai arno yn y cwmpasoedd ac ni châi anhawster i deithio arno drwy strydoedd Caernarfon a Bangor. Trafferth fawr a geid i ddal y ceffyl yn aml. Âi cymydog i'r cae a phadell a blawd arni: deuai Dic yno i'w snwffio, ond ymaith ag ef wedyn ar wib. Y cwbl oedd eisiau i Puleston ei wneuthur oedd ymddangos a gweiddi 'Dic, dim o dy gastiau di,' deuai'r anifail ato yn ddof a hywaith gan rwbio ei drwyn yn ei fraich neu ei frest, fel hen gi mewn cywilydd . . . Gyrrid Dic yn aml mewn cerbyd isel pedair olwyn. Ni byddai trafferth yn y byd i Puleston roi'r ceffyl yn y cerbyd ei hun, ac ni chafodd gymaint ag un brofedigaeth wrth ddreifio.[7]

Doedd hynny ddim yn hollol wir. Fel rhai o bobl y cyfnod, ofnai Dic foduron â'i holl galon ac er mor gynefin oedd o â threnau, codai'r rheini arswyd arno:

Cyffrôdd y ceffyl drwyddo yn stesion Cwmyglo wrth ddisgwyl Dr. John Roberts y Cenhadwr[8] . . . Pan ddaeth y trên i mewn, safodd Dic ar ei draed ôl, â'i enau yn ewyn gwyn, a Phuleston yn dal yr awenau yn rhy dyn i'r ceffyl ddisgyn ar ei draed. Ymgasglodd twr o bobl oddeutu'r glwyd, ond buan y

Carnau Dic, y ceffyl gwyrthiol, wedi eu diogelu.

daeth Dic ato'i hun, a'i feistr yn hollol hunan-feddiannol fel arfer ar adegau o'r fath.[9]

Yn yr Archif cedwir pâr o garnau Dic wedi eu gosod ar ddau ddarn o bren. Sonia David Puleston fel y cafodd y carnau le anrhydeddus yn nhŷ ei nain ar silff ffenestr oedd ar y grisiau ac fel y byddai hi a'i brawd, Alun, yn adrodd hanesion am y ceffyl hynod.

Y GYMYSGFA O WEITHGARWCH, FEL O'R BLAEN

Cyn belled ag roedd ei weinidogaeth yn y cwestiwn, cymysgfa o'r lleol a'r cenedlaethol oedd hi, fel ym Mangor, ond bod y baich yn un trymach. Wedi pum mlynedd yn Ninorwig, ysgrifennodd lythyr, direidus ei arddull, at 'Dearest Annie' a oedd oddi cartref yn rhywle. Mae'n rhoi cip inni ar ei fywyd bob dydd gartref yn Ninorwig. Saesneg ydi'r iaith, eto fyth:

Dau o'r byrddau a addasodd Puleston a'r gemau y byddai'n mwynhau eu chwarae: Siecars Tsieineaidd a drafffts.

> If you feel neglected, you are neglected in good company. The only two things I have neglected lately are you, and my woodwork. Where then has the time gone? To pastoral calls, Euclid, Xenophon, The Davies Lecture [a draddodwyd yn 1909], reading Welsh poetry to refresh our overtaxed brains, many errands in Bangor, mostly for you, chapel attendance, Draughts in moderate doses, farming the premises, which you will see much improved when you return.[10]

Yn ogystal, sonia fel y bu cyfaill ac yntau'n agor ffos a oedd wedi llenwi ac yn gwrthod rhedeg. O'r herwydd, roedd amser yn brin wedyn i waith coed a gwaith metel, i arddio a chwarae draffts ar y bwrdd a gynlluniodd. Fel yr â'r llythyr ymlaen, gwelir ei ddiddordeb ym mhobl y fro a'i ofal am rai a wynebai amseroedd anodd:

> Miss Pritchard is getting on well, Maggie Davies not much better, off to Llandudno tomorrow Friday, to be rubbed with seaweed . . . The son of Mrs. Williams y Fuches Isaf, the lady you know who has lost the use of limbs, her son been seized with a sudden and violent illness. He is the younger of the two sons, Thomas. He is not expected to recover. There are three funerals today.[11]

I gloi, sonia gydag anwyldeb am y forwyn a oedd yn hwyrfrydig i godi'r bore:

Wrth sôn am Jane yn hwyrfrydig i godi, enghraifft o'r sosban yn pardduo'r tegell oedd hynny; ceir sawl cyfeiriad at Puleston yn cael anhawster tebyg.

> I have been up before nine every day but one, as far I can remember. Jane has gone steadily worse in this one particular, reaching nine o'clock yesterday. Today she has taken a turn for the better, having been down at 8.30. On the very worst day however breakfast has been over soon after ten. She looks after the food well, and has actually baked the day she intended. She and Mrs. Roberts were talking in the rain yesterday. I took Jane a mackintosh. Whereupon Mrs Roberts ran in laughing. Poor Jane.[12]

O ran patrwm ei weinidogaeth wedi iddo gyrraedd Dinorwig a'r Fach-wen, glynu at yr hen gyfryngau fu ei hanes. Y gwir

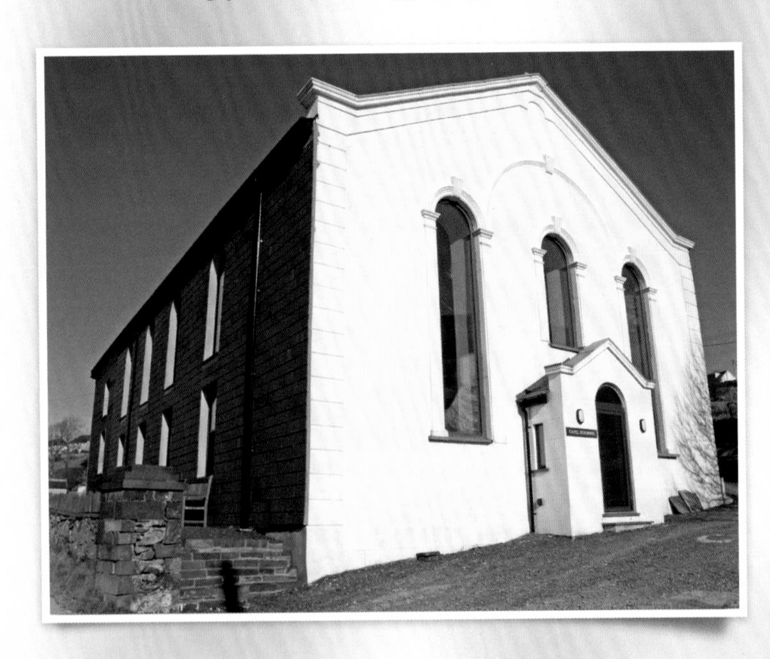

Y capel a drawsnewidiwyd i fod yn ganolfan wyliau moethus i'w ryfeddu. Ond y golygfeydd ysblennydd (nas gwelodd Puleston) yn dal yr un.

oedd fod yr hen batrymau, ar y pryd, yn dal i weithio ac yn dal i ddenu cynulleidfaoedd. Dyna'r seiat, a oedd yn fath o giât dro: yno y câi ymgeisydd ei dderbyn yn aelod ac, o dorri rhai rheolau dewisol, yno y câi ei droi allan. Dyna arfer y Methodistiaid yn Ninorwig, fel bron ymhobman arall, a phlygodd Puleston i'r drefn greulon honno – gyda phwyll:

> Ni phrysurai i dorri aelod allan, os gellid cymhwyso ato ffurfiau llarieiddiaf disgyblaeth Eglwysig – rhybuddio, cynghori, ceryddu'n dringar. Daeth gerbron y swyddogion unwaith achos brawd a gawsid yn y ffos yn feddw. Wrth drin ei achos, credai Puleston mai da am y tro a fyddai bodloni ar gerydd cyhoeddus, ac atal o'r Cymun am ysbaid. 'Na,' meddai'r blaenoriaid, 'y mae'r brawd yn deud mai ei dorri allan yw'r gorau ganddo.' 'Ie!' meddai'r gweinidog, 'nid beth yw'r gorau ganddo ef sy'n bwysig, ond beth yw'r gorau iddo.'[13]

Do, fe'i cefais yn anodd i feddwl am Puleston yn ymostwng i'r fath arfer gyda'i anghysonderau a chymaint rhagrith ond diau fod ei ysbryd wrth gyflawni'r gwaith yn dynerach nag amryw o'i gyd-weinidogion.

Yr ysbryd gwahanol hwnnw, ym marn Idris Thomas, a'i harweiniodd i hyrwyddo cydweithio rhwng llan a chapel. Dair blynedd ynghynt roedd James Salt, Pencerdd Orwig, wedi ei benodi yn ficer plwyf Llandinorwig. Fel Puleston, roedd yntau'n enaid gwahanol, yn frwd dros y Gymraeg ac yn gefnogol i'r dosbarth gweithiol. A thyfodd cyfeillgarwch:

> Roedd yr offeiriad a'r gweinidog yn gyfeillion mynwesol, y ddau yn meddwl y byd o'i gilydd ac mewn oes lle'r oedd dieithrwch rhwng yr enwadau yn bodoli, gwelodd yr ardal rywfaint o oddefgarwch . . . Er syndod i bawb, fe aeth Puleston i ddiwrnod o bregethu yn ystod yr ŵyl yn Eglwys Llandinorwig un flwyddyn gan fynychu'r oedfaon i gyd. Yn yr eglwys y diwrnod hwnnw clywyd peth newydd, sef Puleston yn porthi! . . . Os nad oedd modd newid pulpudau [cyfnewid yr oedfaon yr oeddynt i'w harwain] gwnaeth y ddau fwy na neb i gyfannu capel ac eglwys yn yr ardal bryd hynny.[14]

Mor fawr oedd gofid Puleston wedi trychineb 1 Gorffennaf 1899, pan foddwyd 12 o Ddinorwig oedd ar drip Ysgolion Sul yr Eglwys Esgobol yng nghylch Eryri – naw o'u plith yn blant – wedi i gwch droi drosodd y tu allan i Bwllheli. Pregethai Puleston ym Mhwllheli y Sul wedi'r ddamwain – a'r chwilio am gyrff yn parhau gydol y dydd hyd iddi nosi – a chafodd gyfle i fynegi mawr wewyr pobl ei fro wedi'r fath drasiedi enbyd.

Serch cyfrifoldebau ei swydd, a throeon enbyd ar y daith, ni phallodd ei ddawn i nabod y difyr a'r direidus ac, yn arbennig, i chwerthin am ben ei anghaffael ei hun. Ddiwedd Ebrill 1899 ysgrifennodd lythyr at ei chwaer, Augusta, gan sôn fel y bu iddo fethu ag adnabod rhywogaeth crys nos a chysgu mewn coban:

> The *godre* thereof, instead of separating at both sides in the usual way, resembled rather the mouth of a sack . . . I slept well in the wonderful nightshirt . . . When Annie went up to make the beds, she called out 'This is a lady's nightshirt, a very shabby one too'. . . Dont show the nightshirt story to your big sister [Mary Emily]. It will shock her.[15]

YN ÔL I'R COLEG

Ym mis Mai ymddangosodd hysbyseb yn *Y Goleuad* am ddau ddarlithydd ar gyfer sesiwn 1899-1900 yng Ngholeg Diwinyddol y Bala, un ym maes athrawiaeth a'r llall i ddarlithio ar y Testament Groeg. (Yn Saesneg roedd y cyhoeddiad, a 'Dogmatics' a 'Hellenistic Greek and Greek Testament' oedd y termau.) Cyfyngid y swyddi i aelodau o'r enwad, y penodiadau am flwyddyn yn unig, i dechrau, a'r cyflog yn £140.

Ar y swydd o ddarlithio ym maes athrawiaeth yr oedd bryd Puleston. Fodd bynnag, wedi cael ar ddeall fod cyfaill iddo â'i lygad ar y swydd honno, penderfynodd ymgeisio am y swydd arall. Gofynnid am o leiaf ddau o lythyrau cymeradwyaeth a chafodd Puleston bedwar i'w gefnogi. Cyn-athrawon iddo yn Rhydychen oedd tri – Caird, Freemantle a'r hanesydd, Arthur Lionel Smith – a'i gyfaill, yr Athro Henry Jones, oedd y pedwerydd. Meddai Caird, 'he possesses no ordinary force of character' a

I'r Bala eto.

Mewn adolygiadau, disgrifiwyd yr awdur fel diwinydd o gryn bwys, ysgolhaig Beiblaidd o'r radd flaenaf a llenor Cymraeg.

Henry Jones, wedyn, yn canmol 'his great power of acquiring knowledge, and his no less skill in imparting it.' O ran ei allu fel esboniwr, roedd Puleston newydd gwblhau llawlyfr ar Epistol Iago a oedd yn faes llafur yn yr Ysgolion Sul. Wedi iddi ymddangos cafodd y gyfrol honno adolygiadau gloywon.

Yn wir aeth papur y Bala, *Y Seren*, ati i'w groesawu 'yn ôl i'w hen gartref' cyn i'r penodiad gael ei gadarnhau. Os oedd y llawenydd yn fawr yn y Bala doedd y gofid o'i golli fymryn llai yn Ninorwig:

> Iawn y darfu i mi brophwydo gyda golwg ar y Parch. J. Puleston Jones, oblegyd y mae efe erbyn hyn yn, etholedig gan y pwyllgor, ac felly yn ddarlithydd penodedig yng Ngholeg Duwinyddol y Bala. Yn wir, fe fydd yn chwith dros ben genym am dano. Byddai ei chwerthiniad iachus ef yn gwneud i brudd-der melancolaidd ffoi fel niwl dros gefn y Wyddfa o flaen yr awel. Canai un o'r beirdd fel hyn am yr amgylchiad:-
>
> Colli mawr yw colli Puleston
> O gyffiniau'r Wyddfa fawr;
> Colli gwyneb rhadlon, cywir;
> A'i lewyrchiad fel y wawr;
> Colli doniau byw, llifeiriol,
> Allai adrodd stori'n ffraeth,
> Colli Cymro trwyadl, eon –
> Cymro gwir o uchel chwaeth.[16]

Yn ôl ei gofiannydd, cael ei 'annog' i ymgeisio am y swydd ddarlithio fu hanes Puleston. Does dim ar gael sy'n awgrymu mai diflastod neu anhapusrwydd a barodd iddo benderfynu arallgyfeirio. Wedi gwneud y penderfyniad, a derbyn y swydd, lletyai yn y Bala. Bryd hynny, ei frawd yng nghyfraith, y Parchedig J. T. Alun Jones, oedd llyfrgellydd a chofrestrydd y Coleg. Fodd bynnag, ni thorrodd ei gysylltiad â Dinorwig a'r Fach-wen: 'pregethai ynddynt [y ddwy eglwys] ddechrau'r mis, a dychwelai weithiau heb ei ddisgwyl i'r seiadau er llawenydd i'r saint.' Byddai hynny, wrth gwrs, yn rhoi cyfle iddo weld ei deulu'n achlysurol.

Treuliodd y Parchedig J. T. Alun Jones ei holl flynyddoedd gwaith yn y Bala.

Serch ei oruchafiaeth ryfeddol dros ei anfanteision, a'i ddawn i gyfathrebu, mae'n debyg iddo gymryd cam gwag wrth dderbyn y swydd. Dyna awgrym, cynnil, ei fab yng nghyfraith:

> Ond yr oedd bras redeg dros feysydd llafur y Coleg y flwyddyn honno yn drymach cyfrifoldeb nag a dybiasai. Heblaw'r anfantais o newydd-deb y gwaith, llafuriai Puleston o dan anfanteision eraill. Rhaid oedd iddo ddibynnu ar eraill i edrych i fyny eiriaduron drosto ac i ddarllen esboniadau . . . Collai hefyd y fantais sydd gan ddarlithwyr ar ieithoedd o ddefnyddio bwrdd du yn y dosbarth, ac nid bychan o beth ychwaith oedd marcio papurau'r dosbarthiadau mewn pwnc fel hwn.[17]

Byth wedi'r flwyddyn fer yn y Bala bu gan Puleston ddiddordeb byw yn addysg ymgeiswyr am y weinidogaeth. Gyda'r blynyddoedd, awgrymodd sawl gwaith mai peth da i fyfyrwyr Coleg y Bala, wedi iddyn nhw gwblhau eu cyrsiau a chyn bod yn weinidogion, fyddai cael profiad gwaith yn fath o 'fugeiliaid cynorthwyol' mewn gofalaethau. Roedd yn syniad radical, ymhell o flaen ei oes, ond gohirio penderfynu neu wrthod ei awgrym fu hi ar bob achlysur.[18] Serch hynny bu cryn drafod ar y syniad.

Wedi marw Ellis Edwards yn nechrau Chwefror 1915, ac yntau yn Brifathro'r Coleg erbyn hynny, bu cryn oedi cyn penodi olynydd iddo. Y gwir oedd, fod dyfodol y Coleg ei hun, erbyn hynny, yn destun trafodaeth. 'Cadair wag y Bala' fu'r pennawd mewn mwy nag un papur newydd. Deuai enw Puleston i'r brig mewn sgyrsiau neu erthyglau i bapurau newydd. Mewn rhifyn o'r *Cymro*, cyfeiriwyd ato yn un o bedwar enw posibl gan ei ddisgrifio fel 'awdwr, esboniwr a phregethwr o'r dosbarth blaenaf.'[19] Wedi cefnu ar y Bala, glynu'n gadarn at waith gweinidog fu hanes Puleston fyth wedyn.

A DYCHWELYD

Wedi i'r flwyddyn golegol ddod i ben, dychwelyd i Ddinorwig a'r fro fu ei hanes. Cefnogai weithgareddau ei enwad ond nid oedd, mae'n debyg, yn bwyllgorwr da – gwir anghenraid os am eistedd yn y prif gadeiriau. Yn un peth, dybiwn i, bu rhesymeg yn gymaint o bwnc addysg iddo nes ei rwystro rhag syrthio'n rhwydd i'r farn barod. Yn ôl y cofiant, wedyn, roedd ei 'barodrwydd i siarad cymaint' yn rhwystro'i wrandawyr rhag gweld pethau'n syml ac yn eglur. Ni chynhelid unrhyw gynhadledd enwadol, bron, y pryd hwnnw, heb fod yno bregethu. Yn y fan honno yr oedd gwir ddiddordeb Puleston.

Roedd yr un mor frwd ei ddiddordeb mewn gweithgareddau tu allan i ffin enwad, a chrefydd o ran hynny; yn aelod o Lys y Coleg ym Mangor, yn Llywodraethwr Ysgol Brynrefail, yr Ysgol Sir leol, ac am gyfnod byr yn Gynghorydd Sir. Siaradai a dadleuai ar faterion gwleidyddol, cymdeithasol a diwinyddol. 'Gwerth pennaf Puleston mewn dadl,' yn ôl y cofiant, oedd 'y gallai roi ergydion celyd i'w wrthwynebwyr, a'i gadw ei hun yn ddiddig a chadw pawb mewn tymer dda.' Wrth gwrs, roedd y ffaith na fedrai *weld* yr ymateb i'w ergydion yn rhwym o wneud gwahaniaeth i'w ymateb yntau.

Daliodd ati i grwydro i ddarlithio a chyfrannai'n gyson i gylchgronau a phapurau newydd. Naw mis wedi sefydlu y 'Dafydd' yn Rhydychen darllenodd Puleston bapur i'r Gymdeithas ar 'Emynau Cymru'. O hynny ymlaen, bu'r emyn fel ffurf yn destun darlith iddo. Pan gyhoeddwyd *Llyfr Hymnau Newydd y Methodistiaid Calfinaidd* yn 1897 aeth Puleston ati i adolygu'r gyfrol gan feirniadu, i ddechrau, y dewisiadau a wnaed. Y golygu a fu ar rai o'r hen ffefrynnau oedd yr ail beth a'i blinai: yn debyg i 'roi paent ar hen wenscot derw.'[20]

Yna, aeth Dyfed – pregethwr, bardd ac Archdderwydd –

'Y mae dewis emynau yn debyg i ddewis blaenoriaid [swydd a chwenychid ac arfer poblogaidd ar y pryd]. Nid yw fod eisiau rhai yn ddigon o reswm dros ddewis os na bydd deunydd': Puleston.

Esgeulustod meddyg a barodd i Fanny Crosby golli ei golwg yn blentyn. Yn wahanol i Puleston, nid ymddiddori yng nghrefft yr emyn yn unig a wnaeth hi ond cyfansoddi rhai – 8,000 neu fwy.

ati i amddiffyn y gyfrol. Ystyriai erthygl gyntaf Puleston yn un 'hollol hunan-ddinistriol' a chredai fod yr awdur 'wedi penderfynu cyflawni hunan-laddiad.' Ychwanegodd, â'i dafod yn ei foch, 'Addefaf yn rhwydd fod Mr. Jones yn fwy o awdurdod na mi ar y gynghanedd,' er y gwyddai yn ddiamau nad oedd hynny yn wir.[21]

TÂN Y DIWYGIAD

Awgrymir yn y cofiant fod Puleston, fel John Williams, Brynsiencyn, 'wedi colli pob hunan-feddiant' yn ystod un o gyfarfodydd Diwygiad 1904-5. Yng nghapel Dinorwig ar noson waith yn Ionawr 1905 y bu hynny a cheir disgrifiadau graffig iawn o'r hyn a ddigwyddodd. Joseph Jenkins, Ceinewydd – gweinidog ac un o enwau mawr y Diwygiad – oedd yn traethu am yr Iesu 'distaw' na fyddai 'fyth yn taro'n ôl' (dehongliad y byddai Puleston yn cytuno ag o gant y cant). 'Ar hyn torrodd Puleston i riddfan dros y capel, ac i wylo'n hidil fel plentyn.' Yn dilyn y cyffro 'arhosodd saith o'r newydd yn y Seiat'; rhif bychan iawn o'i gymharu â'r hyn a ddigwyddai mewn mannau eraill. Yr un mis, nodwyd mewn rhifyn o'r *Herald Cymraeg* fod y tân yn ystod yr wythnos honno 'wedi ymledu i 21 o leoedd newydd, a chafodd 18,000 o bobl argyhoeddiad.'[22] Fodd bynnag, o ddarllen ei sylwadau am y Diwygiad, cefais yr argraff ei fod yn llai tanbaid ei gefnogaeth na gŵr fel John Williams, ac eraill, a ddaliwyd gan y gwres. Awgryma David Puleston, fodd bynnag, fod yr atgofion a'r defnyddiau a ddiogelwyd gan y teulu yn profi'n wahanol:

> Rwyf yn cofio fod y diwygiad a chyfarfod ag Evan Roberts wedi gwneud argraff ddofn ar Myfanwy ac Alun. Soniai Alun am un cyfarfod yn y capel yn parhau drwy'r nos gyda'r dynion oedd wedi cyrraedd yno yn eu dillad gwaith yn dychwelyd felly yn syth i'r gwaith fore drannoeth heb amser i fynd adre. Ar y dechrau, âi Evan Roberts i'w lofft a'r plant ychydig o'i ofn. Mae'n amlwg iddo wneud amser i'w cyfarfod, oherwydd mewn llyfr bychan oedd yn eiddo i'r plant, *Gwreichion o Gannwyll y Cymru* – llyfr yn cynnwys adnod ar gyfer bob dydd o'r flwyddyn ar un ochr i'r dudalen, gyda gofod ar yr ochor arall i unigolyn arwyddo a rhoi sylw bychan gyferbyn â'i ddyddiad geni. Ysgrifennodd gyferbyn â Mehefin 8:
>
> Evan Roberts. Loughor.
> Cofia, gyfaill drwy dy oes,
> Ddal i syllu ar 'Y Groes'.

Yna, yn un o'r llyfrau lloffion, ysgrifennodd a ganlyn:

> Neithiwr gwyliais ffrwd o ddagrau –
> Pawb yn drist,
> Dyna'r Byd.

Yn ôl ***Yr Herald Cymraeg***, roedd rhif y rhai a brofodd dröedigaeth o ddechrau'r diwygiad hyd ddiwedd Ionawr 1905 yn oddeutu 70,000; 150,000 oedd y rhif terfynol yn ôl ffynhonnell arall.

Heddyw gwyliais ieuainc wenau,
Dyna'r Crist –
Byw o hyd.
Evan Roberts. 4.1.06 [23]

Fodd bynnag, cyfaddefodd yn gyhoeddus na fu i'r profiadau a gafodd ddylanwadu arno fel pregethwr. O leiaf, fel yr oedd wedi gobeithio. Yn eironig, ym Medi 1904, a'r Diwygiad ar y ffordd, bu'n traddodi'r hyn a elwid yn 'The Manchester Mission Tuesday Mid-day Sermon' a chyhoeddwyd copi o'r bregeth honno yn y *Methodist Times* y dydd Iau canlynol. 'Eithr rhowch eich hunain i Dduw' oedd y testun a thua'r diwedd ceir apêl efengylaidd daer. Pa ryfedd, o gofio fod tân Diwygiad 1904-5, erbyn hynny, ar gerdded yng Nghymru.[24] Fodd bynnag, soniodd yn gyhoeddus fwy nag unwaith am 'ddwy fendith fawr' a gafodd: 'Dysgu gweddïo hefo'r bobl, heb i'r meddwl grwydro gymaint, oedd un. Dysgu siarad am grefydd wrth bersonau bob yn un ac un oedd y llall.'[25]

O ran bywyd yr eglwysi a oedd o dan ei ofal, mae'n ddiau i'r tân fudlosgi am gyfnod. Yn ystod haf 1905, o dan y pennawd 'Deiniolen', ysgrifennodd un gohebydd fel a ganlyn: 'Y mae tes yr haf wedi oeri'r Diwygiad bron hyd farwolaeth. Gwag yw'r addoldai, a'r ffyrdd yn llawn o fechgyn a genethod yn olwyno'n wallgof ar beiriannau benthyg.'[26] Prun bynnag, yn ôl cofnodion a ddiogelwyd, fu dim cynnydd mawr yn rhif yr aelodaeth yn Ninorwig a'r Fach-wen nac, ychwaith, yng nghyfraniadau ariannol yr aelodau.[27]

AC YMADAEL

Calangaeaf 1906, roedd eglwys frigog Penmount, Pwllheli, yn chwilio am weinidog ac enw Puleston a ddaeth i'r brig. Yn ôl y cofiant, er na nodir awr a lle, 'daeth cenhadon o Ben y Mownt, Pwllheli, ato i'w gymell i symud, a phenderfynodd yntau dderbyn y cyfle.' Go brin i'w ymateb fod mor ffwr-bwt â hynny. Byddai'n rhaid ystyried y plant a byddai gan ei

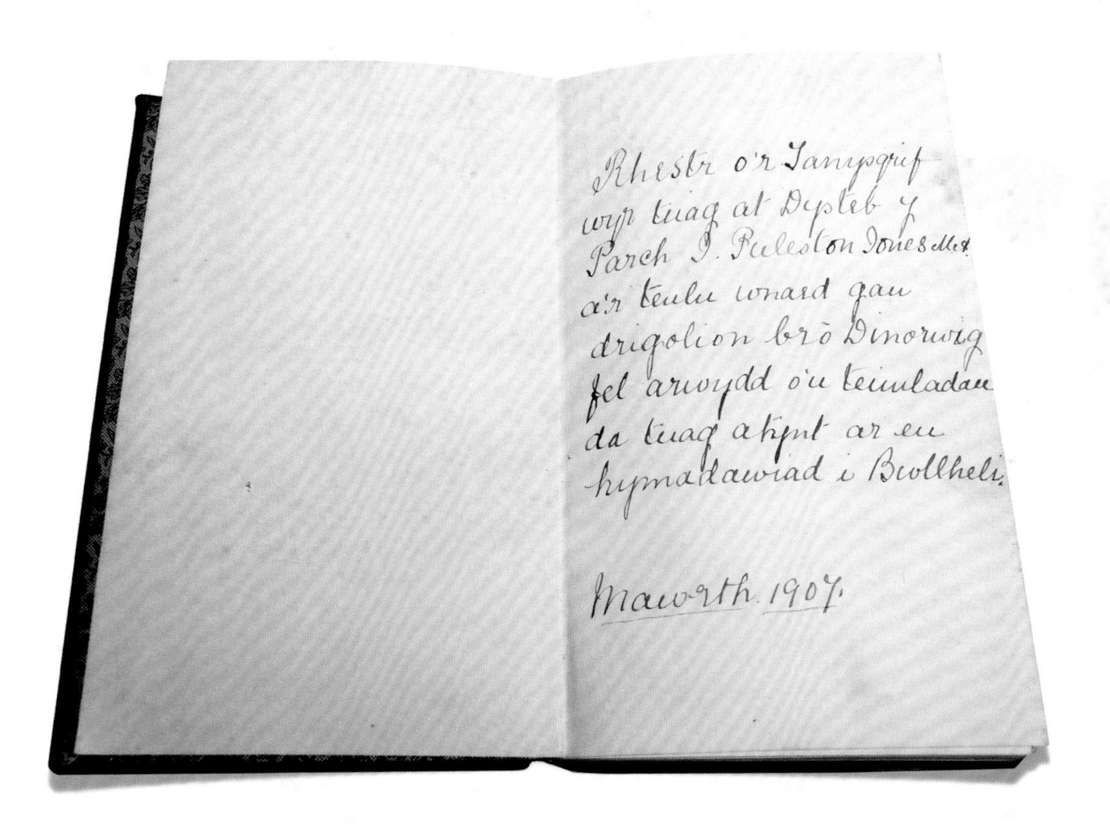
Rhestr o'r Tanysgrif-
wyr tuag at Dysteb y
Parch J. Puleston Jones M.A.
a'r teulu wnaed gan
drigolion brô Dinorwig
fel arwydd o'u teimladau
da tuag atynt ar eu
hymadawiad i Bwllheli.

Mawrth 1907.

Mae'r rhestr enwau a swm eu cyfraniadau yn dangos haelioni pobl Dinorwig mewn oes dlawd ac yn brawf arhosol o'u hedmygedd ohono.

briod lais clir yn y penderfyniad. Dichon iddi fod yn gyfnod o wewyr ac o weddi i'r teulu cyn dod i gytundeb. Yn sicr, ar y pryd ystyriai Puleston hi yn alwad oddi fry ac yn antur gysegredig.

Os mai llawenhau 'a disgwyl pethau gwych i ddyfod' oedd hi ym Mhwllheli, chwithdod a siom oedd hi yn ardal y chwareli, tu mewn a thu allan i'r eglwysi. Tanlinellwyd hynny yn y papurau lleol a chan y beirdd.

Cynhaliwyd cyfarfod i ffarwelio â Puleston a'i deulu yng nghapel Dinorwig nos Iau, 21 Mawrth 1907. Mae'n fy nharo i, o ddarllen yr adroddiadau yn y papurau newydd, iddi fod yn noson hirfaith: caed deg o areithiau, tair unawd, unawd offerynnol, cyfarchion gan y beirdd ac ymateb Puleston ei hun heb sôn am yr anrhegu. 'Rhoddwyd cadwyn aur i Puleston gan Eglwys y Fachwen, ac un ar ddeg o gyfrolau iddo gan Eglwys Dinorwig. Cyflwynwyd hefyd lestr arian a brws goreuredig i'w briod, gwddfdorch i Myfanwy, a llyfrau i Alun.'[28]

Ar yr un noson darllenwyd cerdd o waith Alafon a oedd yn crynhoi teimladau pobl y fro:

> Traidd yn wir trwy Ddinorwig
> Oeraidd frath o wraidd i frig.
> Ieuanc a hen sy'n cwynaw
> Yn siom trwst ei symud draw.[29]

Mae'n bosibl mai'r sylw mwyaf cofiadwy o bob un oedd yr hyn a ddwedodd Huw Lewis, yr hynaf o'r blaenoriaid, yn union wedi i Puleston rannu'r newydd efo nhw: 'Rhaid inni gael dŵad hefo chi i'r Pwllheli 'na i ddeud wrthan nhw y bydd pob drws yn Ninorwig yn agored i chi, os byddan nhw wedi blino arnoch chi.' Oedd o'n broffwyd? Ar y llaw arall, roedd Alafon yn apelio ar iddo ddychwelyd cyn iddo gael cyfle i ymadael:

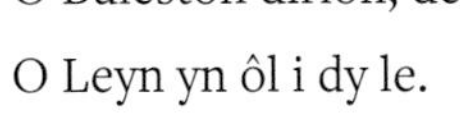

O Buleston dirion, dere
O Leyn yn ôl i dy le.

Dic y ceffyl yn cyrraedd drws Bron Myfyr gyda Puleston, Annie ac Alun, dybiwn i, wedi cyrraedd pen eu taith.

DRINGO I BEN Y MOWNT

Pan gyrhaeddodd Puleston a'i deulu i Bwllheli yn niwedd Mawrth 1907 roedd yr eglwys ym Mhenmount – yn ei thyb ei hun ac ym marn eraill – â'i hwyneb tua'r wawr. Fe ymddengys mai Pabell y Bryn oedd enw'r capel ar y dechrau. Nyddodd bardd gwlad o Abersoch, 'Robin 'Raber', Robert Pritchard (un o'm hynafiaid i, mae'n debyg), fath o englyn bregus i'r capel cyntaf:

> Tŷ moliant mwyniant miloedd – tŷ gwrando
> Cywreindeb y nefoedd
> Teg y tŷ (egwan oedd)
> Fe naddwyd o Fynyddoedd.[1]

Bellach, roedd y freuddwyd fel petai yn cael ei gwireddu: yr adeilad ar ei newydd wedd, achos cenhadol llewyrchus ar gyfer y difreintiedig mewn adeilad arall, a rhif yr aelodaeth yn uwch nag erioed – cynnydd o 76 yn ystod llanw'r Diwygiad.[2]

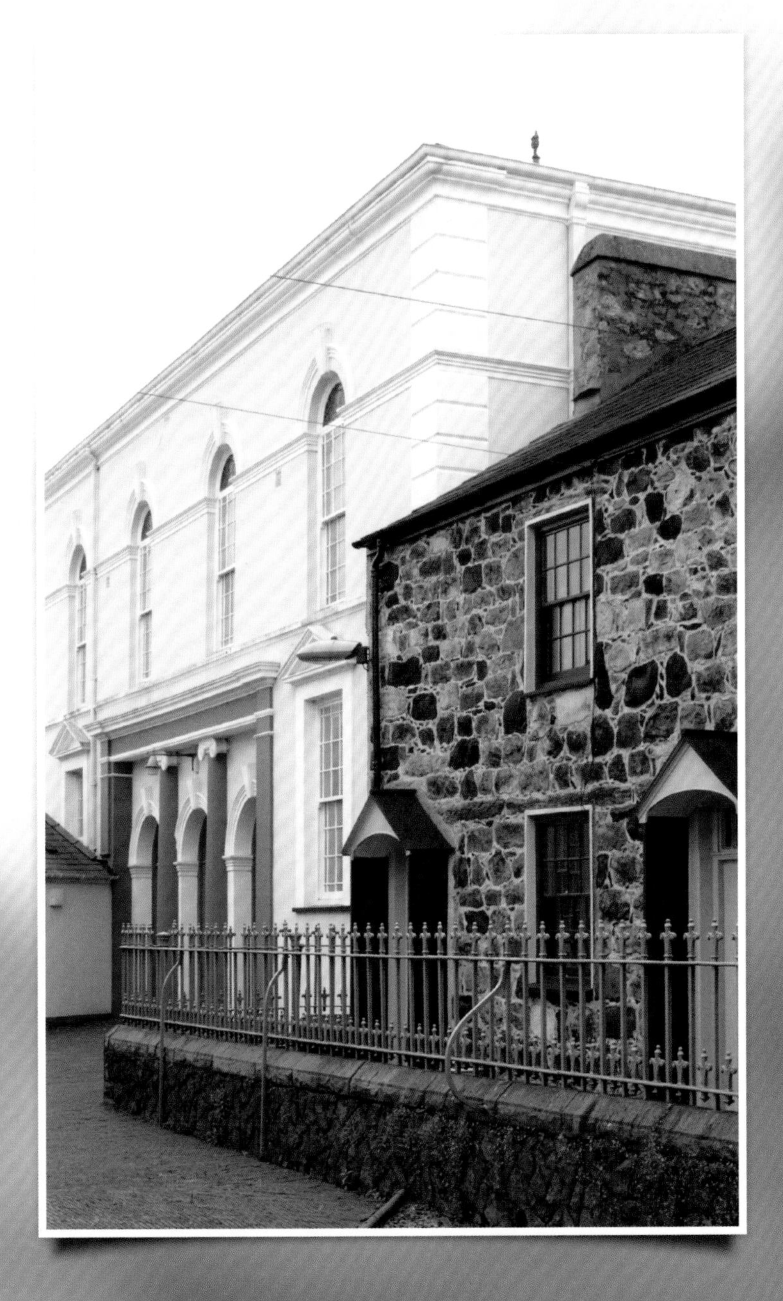

Penmount, Pwllheli, gyda mynedfa ddigon cyffredin yr olwg i adeilad helaeth a hardd.

Yn Rhagfyr 1905 roedd mynediad i oedfaon Evan Roberts yn Neuadd y Dref ym Mhwllheli drwy docyn yn unig.

Doedd dim tewi ar y sôn am Sam Jenkins, unawdydd y deffro, ym Mhenmount, Sulgwyn 1905, yn morio 'Am achub hen rebel fel fi' a'r gynulleidfa mewn gorfoledd. Yn wir, cafodd Puleston ei sicrhau wedi iddo gyrraedd – yn hanner gwamal, hwyrach – nad 'disgyn i bwll' fyddai ei hanes ond 'dringo i ben y mownt'.

A hithau yn ddyddiau o lawnder, y gwayw i bwyllgor bugeiliol Penmount oedd nid 'Pwy gawn ni?'. Os oedd Penmount yn eglwys o fri roedd Puleston, bellach, yn enw cenedlaethol; yn adnabyddus a derbyniol tu hwnt i ffin enwad ac yn ddisglair mewn meysydd ar wahân i ddiwinyddiaeth. Fe ddwedwn i mai atyniad y cyferbyniol oedd hi pan ddaeth y cenhadon hynny o Ben y Mownt i'w 'gymell i symud' ac iddo yntau benderfynu 'derbyn y cyfle'.

EI SEFYDLU A'I GROESAWU

Nos Iau, 4 Ebrill 1907, y bu'r cyfarfod sefydlu. Oedfa bregethu oedd hi i ddechrau. Yn unol â dymuniad Puleston, dybiwn i, y pregethwr oedd Owen Prys, Prifathro y Coleg Diwinyddol yn Aberystwyth. Roedd o o'r un genhedlaeth â Puleston, yn ddiwinydd ac ysgolhaig. Nodyn trist ar y noson oedd i lythyr gael ei ddarllen oddi wrth rieni Puleston yn gofidio am eu habsenoldeb oherwydd gwaeledd yn y teulu ond heb roi manylion.

Wrth fudo, teimlai Puleston ei fod yn gadael aelwyd gynnes yn Ninorwig. Yr un pryd, credai ei fod yn dod i aelwyd yr un mor gynnes ym Mhenmount. Ddechrau Mai, wedyn, caed cyfle i ddathlu'r digwyddiad pan 'eisteddodd oddeutu 170 wrth fwrdd gwledd gynhaliwyd gan Gymdeithas Lenyddol Penmount' a'r *Goleuad* yn datgan yn hyderus fod y gweinidog newydd 'yn teimlo'n reit gartrefol ym Mhwllheli.'[3] Pan benderfynodd Puleston fudo, roedd Myfanwy yn tynnu at y deuddeg oed ac Alun newydd ddathlu ei ben-blwydd yn bymtheg. Yn nes ymlaen roedd y teulu i symud i fyw i dŷ hyfryd ym Mhenlôn Llŷn, Lluest Wen.

Felly y bu pethau, mae'n ddiamau, yn ystod ei flynyddoedd cyntaf yn y dref ac yntau'n brysur a brwdfrydig. Yn rhifyn Chwefror 1908 o'r *Monthly Treasury* ymddangosodd llun o Puleston, yn nodi ei fod bellach yn 46 mlwydd oed. I ddyfynnu'r *Goleuad* wrth gyfeirio at y darlun hwnnw, 'os yw asbri, ynni a hoenusrwydd, yn cyfrif, mae Mr Puleston Jones ugain mlynedd yn ieuengach nag ydoedd ugain mlynedd yn ôl.'[4]

O ddibynnu ar luniau du a gwyn yn unig roedd yn dda taro ar ambell ddisgrifiad a oedd yn rhoi mymryn o liw i lun er i'r awdur, yn y dyfyniad a ganlyn, fynd yn eithafol delynegol:

> Bendithiwyd ef â chorff lluniaidd o daldra cyffredin. Yr oedd ei dalcen yn llydan ac uchel, ei ruddiau'n wridcoch o liw rhosynnau'r hafddydd, a barf gochddu drwchus ar ei weflau a'i gernau. Gwisgai wydrau tywyll [gydag arlliw o wyrdd, yn ôl disgrifiad arall], ond teimlid rywfodd fod pelydr ei lygaid yn ei wedd a'i wyneb. Yr oedd ei weled ef fel gweled torri gwawr bore hafaidd ym mis Mehefin, ac ehedai ei wên dros gyfarfod fel cawod o heulwen dros gae gwenith.[5]

Ym mlynyddoedd canol bugeiliaeth Puleston ym Mhwllheli roedd gan yr enwad tua 900 o weinidogion, 34 yng nghylch Llŷn ac Eifionydd yn unig, ac oddeutu 300 o bregethwyr cydnabyddedig ar ben hynny.

Wrth gyfarch yr aelodau yn Adroddiad Blynyddol yr eglwys am 1908, ei flwyddyn lawn gyntaf ym Mhwllheli, mae Puleston yn siriol, obeithiol. Doedd gwres y Diwygiad ddim wedi llwyr oeri, yr aelodaeth yn dal yn uchel, ychydig arian wrth gefn a chynlluniau uchelgeisiol ar waith ar gyfer y dyfodol. Eto mae yna ias o bryder yn yr hyn a ysgrifennodd: 'Dichon na chawn ni eto am flynyddoedd mo'r hyfrydwch o gyflwyno adroddiad mor gwbl ddi-bryder â hwn.' Pam tybed y disgynnodd ar y math yna o deimlad wrth gloi ei anerchiad ac yntau ddim ond newydd gyrraedd yno?

FEL PREGETHWR

Cyn cyrraedd yno yn weinidog, bu'n pregethu'n gyson ym Mhwllheli a'r fro ar y Suliau a chanol wythnos mewn uchelwyliau. Ceir darlun o Puleston mewn Sasiwn yn Sarn Mellteyrn, Llŷn, yn 1901 ac roedd yno – os cywir y cyfrif – 6,000 o gynulleidfa.[6] Ddeufis wedi iddo gyrraedd, 3-5 Mehefin 1907, pregethai mewn Sasiwn awyr agored a gynhaliwyd yn Nhudweiliog, Llŷn, gyda chynulleidfa o 2,000 neu ragor yn gwrando.[7]

Mae'n debyg, serch hyn i gyd, na fu Puleston mor llwyddiannus â hynny fel pregethwr ym Mhwllheli ei hun; ac roedd hyn cyn blynyddoedd y Rhyfel Byd Cyntaf. Mae'i gofiannydd a'i fab yng nghyfraith yn awgrymu hynny. Mae dogfen a ysgrifennodd W. T. Ellis – a fagwyd ym Mhwllheli ond a oedd ar y pryd yn weinidog ym Mhorthmadog – yn trafod yr union bwnc, heb gelu dim:

Rhan o'r gynulleidfa o 6,000, meddir, oedd yn Sasiwn y Sarn yn 1901.

Wrth ddwyn rhai pethau i gof y mae fy ngwaed yn dechrau berwi . . . Amhoblogaidd ydoedd fel pregethwr gan ei eglwys ei hun. Nid wyf yn awr yn sôn am yr amhoblogrwydd o'r gwahaniaeth barn amser y rhyfel, ond cyn hynny . . . Yr oedd cyfoeth ei feddyliau yn anhraethol rhy dda i'r math gynulleidfa oedd ym Mhenmount. Gwnâi W. Thomas [y cyn-fugail], gyda'i ddawn felus a'i bregeth fach, ymarferol, lawer dyfnach argraff ar gynulleidfa Penmount ac ar bobl Pwllheli, sy'n bobl arwynebol iawn.[8]

Drannoeth wedi i'r Rhyfel Byd Cyntaf dorri allan, cyhoeddwyd yn y wasg fod Puleston wedi cael 'gwahoddiad taer' oddi wrth 'Gymanfa Wisconsin i ymweld â'r Unol Daleithiau' i bregethu i Gymry oddi cartref. Yn ôl yr adroddiad, 'dyma yr ail os nad y trydydd tro i'r gwahoddiad gael ei anfon, a thebyg yw y bydd yn alwad effeithiol y tro hwn.'[9] Nid felly y bu pethau a hynny oherwydd yr amgylchiadau ar y pryd, neu am nad oedd ganddo awydd i deithio cyn belled.

'Pregethai gymaint yn y De,' meddai ei gofiannydd, 'nes dywedyd o rai o'i gyfeillion mai yno roedd ei gartref.'

Mae ei ddyddiadur am 1913 yn cofnodi iddo bregethu yn ystod y flwyddyn mewn pum capel yn Lerpwl, sawl capel yng Nghaernarfon a mannau eraill megis y Fflint, Bagillt, Pen-coed, Aberystwyth, Llanymynech, Treffynnon, Y Bala, Northop Hall, Llanfairpwll, Capel Saesneg Dinbych, Llansamlet, Llandeilo, Llandudno, Yr Wyddgrug, Aberdâr, Llundain, Croesoswallt, Prestatyn, Caerdydd, Biwmares, Rock Ferry, Dolgellau, y Rhyl, Llangurig, a Ffynnongroyw. Yn ychwanegol at y Suliau, roedd yna, wrth gwrs, sasiynau a gwyliau pregethu ganol wythnos i ychwanegu at y clwstwr.

BYWYD EGLWYS

Yn ôl y cofiant, 'yr athro yn hytrach na'r efengylydd a welid amlycaf yn Puleston' ac mae'n amlwg i mi, o ddarllen amdano a phori yn ei waith, mai'r deallusol yn fwy na'r emosiynol oedd yn bwysig yn ei olwg. Dyma, o bosibl, unwaith yn rhagor, un o sgileffeithiau Hegeliaeth arno, gyda phwyslais ar le rhesymeg ym myd crefydd. O ganlyniad, fel ym Mangor

Sasiwn Treffynnon, eto, yn 1913

Puleston wrth fwrdd, a than fymryn o gysgod, yn pregethu yn y Sasiwn honno.

a Dinorwig, wedi cyrraedd Penmount rhoddodd bwys mawr ar gadw seiat a chynnal dosbarth darllen, yn arbennig felly i bobl ifanc:

> Deuai iddo ar gyfartaledd ddeunaw o feibion a merched. Y cam cyntaf fyddai holi trefn seddi'r aelodau, a chofiai yntau'r enwau wedyn am yr awr. Rhoddai'r athro anerchiad byr i gychwyn, ac yna darllenai pawb gyfran 'i gael digon o baliad,' a phwysai yntau am ddarllen cywir a phwyslais da. Maes Llafur yr Ysgol Sul am y flwyddyn a fyddai fel rheol dan sylw, ac un cwestiwn yn wastad ganddo a fyddai, 'Beth yw adnod aur y gyfran hon?' Yn ôl y cynllun a gawsai gan y Dr. Lewis Edwards, y Bala, argraffai Puleston gardiau hwylus bob blwyddyn yn cynnwys holion [cwestiynau] ar y maes, ac ymdrinnid â dau neu dri o'r holion hyn ym mhob dosbarth.[10]

O fwrw golwg dros rai o'r 'cardiau hwylus' a baratôdd ar gyfer y dosbarthiadau, rhyfeddwn at faint ei lafur ac at ddyfnder y cwestiynau. Fel y nodwyd, deunaw, ar gyfartaledd, a fynychai'r dosbarth. Mewn oes gyda'r Beibl yn llawlyfr i gynifer, a thrafod y Ffydd yn beth cyffredin, nifer fechan fyddai hynny mewn eglwys ac iddi dros 500 o aelodau. Hwyrach fod yr arlwy'n rhy gyfoethog i rai na chafodd fawr o fanteision addysg neu heb y gallu na'r archwaeth i drafod mewn cymaint dyfnder.

Yn unol ag arfer y cyfnod, ymwelai â'r aelodau yn eu cartrefi. Byddai'n mynd â chyfran o'r Beibl Braille i'w ganlyn, yn arwain mewn gweddi neu weinyddu'r Cymun pan synhwyrai fod yna ddymuniad am hynny. Diddorol ydi'r cofnod iddo, unwaith o leiaf, ar un aelwyd, 'fedyddio chwech o blant i rieni a ymunodd â'r capel.' Gorchwyl dyrys, dybiwn i, i ŵr dall ond y tebyg ydi i Puleston wneud hynny yn ei gerdded.

O wybod hyn i gyd, a derbyn na fu pregethu Puleston ym Mhenmount mor llwyddiannus â'r disgwyl, roedd hi'n syndod fod W. T. Ellis yn honni na fu, chwaith, yn 'fugail llwyddiannus yn ystyr gyffredin y gair.' Y rheswm am hynny oedd fod Penmount yn un 'o'r eglwysi anoddaf i Fugail da lwyddo ynddi.'[11]

NEWID ARFERION A DRYGAU'R OES

O gael gweinidog newydd dyfnhaodd y syniad o symud gyda'r oes ac addasu pethau ar gyfer canrif newydd. Roedd bwriad i gael organ i'r capel wedi bod yn ffrwtian berwi am gryn 15 mlynedd cyn iddo gyrraedd yno – rhai o blaid a rhai yn erbyn. Wedi loetran gyhyd, penderfynwyd symud ymlaen; o wario ychydig, penderfynwyd gwario'n helaeth. Ar yr un gwynt, megis, rhoddwyd organ gwerth bron i £800 i mewn, gwresogi'r adeilad, ei awyru a goleuo'r lle â thrydan – a hynny cyn i'r dref gael cyflenwad. Costiodd y cyfan heb fod ymhell o £3,000, gan adael twll o ddyled, ond fe chwyddwyd y mawl am flynyddoedd lawer o hynny ymlaen:

Caed harmoniwm ar droad y ganrif, mae'n wir, ond mewn adeilad mor eang y farn oedd nad oedd hi fawr fwy o werth nag organ geg.

> Fe'i hagorwyd ar 18 Ionawr 1912 trwy ddatganiad gan John Charles McLean, F.R.C.O. (Aberystwyth)

> a chanwyd cytganau o'r Messiah gan gôr o dan arweiniad Ellis P. Jones, arweinydd y gân, a chanodd Miss Maggie Jones (Leila Megane yn ddiweddarach) solo 'I know that my Redeemer liveth'. Bu cael organ o safon o gaffaeliad mawr a threfnodd yr eglwys 'Reolau mewn perthynas i'r Organ' a'u hargraffu yn Adroddiad Blynyddol 1911.[12]

Fel gyda gosod yr organ, bu peth oedi cyn penderfynu defnyddio gwydrau Cymun unigol yn hytrach na defnyddio un cwpan a'i basio o wefus i wefus. I Puleston, roedd y penderfyniad yn un syml ddigon. Gan nad oedd hi'n arfer i yfed o'r un cwpan ar yr aelwydydd pam glynu at hynny yn y capeli? Yn ystod 1911 y gwnaed y penderfyniad. Mae'n debyg mai arddangosfa yn Neuadd y Dref am beryglon y diciâu a ddaeth â'r peth i fwcl.

O ran rhai arferion cymdeithasol – ar wahân i gwestiwn rhyfel a heddwch, a ddaeth yn asgwrn cynnen yn nes ymlaen – dirwest, yn yr ystyr o lwyrymwrthod ag alcohol, oedd un o'i argyhoeddiadau. Bu'n argyhoeddiad ac yn bwnc cenhadu iddo yn nyddiau coleg. Yn haf 1884, ac yntau'n pregethu yng Nghaernarfon, ceir ei hanes am hanner awr wedi pedwar y pnawn Sul hwnnw yn cynnal cyfarfod dirwest ar gongl Stryd Uxbridge cyn prysuro i gapel Seilo i gynnal oedfa'r nos. O gymharu ag eglwysi eraill, roedd hi mor ddiweddar â 1902 cyn y penderfynodd eglwys Penmount ddefnyddio gwin dialcohol ar gyfer y sacrament. Hyn, er i'r capel fod yn fan cynnal gwyliau dirwestol er 1837.

Syndod pob syndod, roedd Puleston yn erbyn smocio'n ogystal. Dri mis wedi iddo gyrraedd, sefydlwyd cangen o'r hyn a elwid yn 'The Anti-Cigarette Smoking League' yn y dref a chyhoeddwyd fod 'nifer dda o blant wedi ymuno' â'r gangen.[13] Os nad Puleston a yrrodd y cwch i'r dŵr, mae'n ddiamau y byddai gant y cant o blaid yr ymgyrch faint bynnag fu ei llwyddiant.

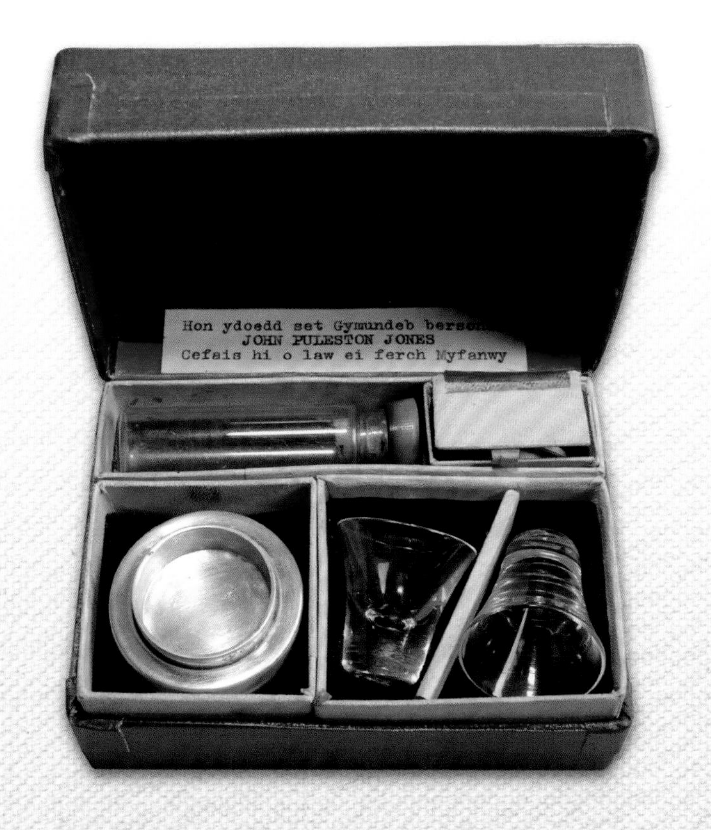

Y llestri cymun a gludai Puleston o dŷ i dŷ yn ôl y galw.

Yn fwy perthnasol i'r eglwys leol ym Mhenmount, a dyledion yr organ yn dal i serennu, oedd ei farn ar drin arian. Yn ôl y cofiant, 'gwrthwynebai'n gryf dalu dyled capel drwy gynnal *Bazzar* a chwarae damwain yn elfen ynddi.' Doedd ganddo'r un gwrthwynebiad i arwerthiant eiddo neu addewidion i glirio dyled, cyn belled â bod yr amodau'n deg a dim elfen o siawns. Gydol oes, gwrthododd Puleston yswirio ei fywyd ei hun na bywyd neb o'r teulu.[14]

YMESTYN ALLAN

Ym Mhwllheli, fel ymhobman arall y bu'n gweinidogaethu ynddo, ceisiai ymestyn bywyd yr eglwys allan i'r dref a'r cyffiniau. Hyrwyddai gydweithio rhwng eglwysi a'i gilydd. Gan mai Penmount a ystyrid yn eglwys gadeiriol y dref – serch fod y chwaer eglwys, Salem, yn ail dda iddi – disgwylid iddo gymryd rhan mewn digwyddiadau trefol. Nid fod hynny, o bosibl, bob amser at ei ddant.

'Pwllheli Mayor in Chapel' a 'Fine Sermon by the Rev. J. Puleston Jones' oedd dau bennawd adroddiad a ymddangosodd yn *The Observer*. Nos Lun, 15 Ionawr 1909, roedd yna gannoedd ar strydoedd Pwllheli yn gwylio gweinidogion ac arweinwyr eglwysi'r dref – gyda'r 'Ancient Foresters' a'r 'Oddfellows wearing their regalia and sashes' yn eu plith – yn gorymdeithio i Benmount i wrando'r bregeth.[15]

Ym mis Mai 1910, wedyn, wedi marw'r Brenin Edward VII, cafwyd dydd o alar cyffredinol ym Mhwllheli. Bu'r tafarnau ynghau o ddeg y bore dan chwech yr hwyr, ond cafodd Puleston ddiwrnod prysur, yn darllen llith yn eglwys Sant Pedr ben bore ac yna'n llywyddu math o gyfarfod coffa yng nghapel Salem yn nes ymlaen ar y dydd.

Yn yr un modd, cefnogai gydweithio rhwng bugeiliaid y gwahanol eglwysi. Bryd hynny, roedd mwyafrif llethol y gweinidogion yn perthyn i'w henwadau o argyhoeddiad ond roedd ffiniau Puleston yn llawer lletach.

Yng nghartref Puleston cyfarfyddai holl weinidogion y dref i drafod cyfrolau megis ***Positive Preaching and Modern Mind***, P. T. Forsyth, a'r 'ddiwinyddiaeth newydd' oedd ar y pryd.

MARW'R HENADUR EVAN JONES

Ddeuddydd cyn Nadolig 1909 collodd Puleston ei dad. Dri mis ynghynt, a'r Sasiwn ym cyfarfod ym Mhwllheli, cafodd Evan Jones ergyd o'r parlys. Ar nos Lun, 14 Medi, llywyddai mewn cyfarfod gwleidyddol yn Neuadd y Dref yn y Bala a'r Aelod Seneddol lleol, Haydn Jones, yn annerch:

> Ar ei ffordd drannoeth i'r Sasiwn gwelai'r Parchn. Howell Hughes a D. Ward Williams a gyd-deithiai âg ef, ei fod yn methu ymgynnal, a bod amhariad ar ei leferydd. Wedi cyrraedd Pwllheli, i ginio'r Sasiwn y mynnodd Evan Jones fyned ac yno yr hysbyswyd y newydd i Puleston. Perswadiodd Puleston ef i fyned i'r tŷ, a chynghorwyd y meddyg i alw yno fel ar ddigwydd. Dychryn nid bychan i Mrs. Evan Jones oedd gweld ei phriod nos trannoeth ar garreg y drws yn Arennig yn pwyso'n drwm ar fraich Mr. Ward Williams ac yn methu â siarad. Taflodd ei breichiau am ei wddf a chusanodd ef am amser.[16]

Yr adnod a ddewisodd Puleston i fod yn feddargraff i'w dad oedd, 'Beth bynnag a ymafael dy law ynddo i'w wneuthur, gwna â'th holl egni.'

Roedd wedi llunio ei ewyllys olaf ym Modrenig, 8 Chwefror 1908. Enwodd ei briod a dau o'i feibion, John Puleston a Henry Puleston, yn ysgutorion gan adael ei ystad, a oedd yn werth £3,509, i'w weddw.[17] Fel gŵr amlwg mewn byd ac eglwys – a chrefydda'n arfer amlwg bryd hynny - cafodd Evan Jones sawl teyrnged mewn papurau newydd, yn cynnwys *Y Seren*, papur y Bala, a'r *Goleuad* wrth gwrs.

Roedd R. T. Jenkins, yr hanesydd a'r llenor, yn ei gofio'n dda. I ddechrau, i ddangos y gwahaniaeth rhwng dau fel petai, rhydd ddisgrifiad o'i frawd ieuengach, 'Robert Jones y Paentiwr': 'dyn od, od *iawn*; talp o athrylith.' Yna, ychwanegu, ei fod 'yn ddarllenwr mawr, ac yn *brynwr* llyfrau.' Am natur Evan Jones y mae'r cofiant yn sôn ond mae R. T. Jenkins yn dadansoddi ei gymeriad, gan fynd fymryn o dan y croen:

> Evan Jones oedd y pen-blaenor, a'r 'cyhoeddwr'; dyn busnes oedd ef, ac ni chlywid byth mohono'n adrodd yn y Seiat hanes yr ymdriniaeth yng Nghyfarfod Misol Cynwyd (dyweder) ar 'Waith yr Ysbryd Glân' – gadawai hynny i rywun arall. Ond dyn sownd ar gasgliadau a threfniadau cyffelyb . . . Manteisiem ni blant yn fawr ar 'fydolrwydd' Evan Jones – o leiaf, *credem* mai mantais oedd. Yn ymyl stesion Arennig yr oedd ef yn byw, a rhaid fyddai iddo ddal trên ychydig wedi'r wyth. Os byddai Evan Jones yn y Seiat, *gwyddem* y gorffennai honno ar yr wyth – tynnid ei oriawr (aur) allan, sibrydid rhywbeth wrth lywydd y Seiat, gelwid ar y gweddïwr byrraf a oedd yno, ac allan â ni.[18]

ELI AR FRIW

Yr eli ar friw i Puleston oedd dilyn ei hobïau. Yn weinidog eglwys luosog ac yntau'n teithio mor ddi-ildio, wn i ddim faint o amser hamdden a fyddai ganddo i waith coed neu i arddio. Serch ei ddallineb, cerdded oedd un arall o'i fwynderau a mwyaf anhygyrch y tirwedd, mae'n debyg, gorau oll. Pan fu farw cyfaill i Puleston er dyddiau Glasgow a Rhydychen, Charles Sylvester Horne, yn 1914 – gweinidog, emynydd, gŵr busnes ac aelod seneddol –ymddangosodd teyrnged i Horne ar dudalennau'r *Goleuad* ac enw Puleston ynghlwm wrthi:

> Nid oedd neb fwynhai yn fwy nag efe ymweliadau o seibiant a manau tawel ein gwlad a dringo llethrau ei bryniau a'i mynyddoedd, a chwilio am wyllt flodau a llysiau, gerllaw ei haberoedd ac yn ei chymoedd prydferth hi. Yr oedd yn llawn o'r elfen ddigrifol. Cof da genyf amdano yn chwerthin bron yn ddi-lywodraeth wrth osod ei hoff gyfaill Puleston Jones i rolio i lawr lyfnion lethrau yr Arenig tra yr oedd ar ymweliad â'r Bala gyda'i gyfeillion.[19]

O gofio'i fab, Kenneth Horne, a'i gyfresi radio yn y pum a'r chwedegau, megis *Beyond our Ken* a *Round the Horne*, gellir deall elfen ddigrifol y tad. Roedd chwerthin, wrth gwrs, yn reddf a berthynai i Puleston yn ogystal.

Ddechrau Gorffennaf 1914, aeth Puleston i ardal Llanidloes, gan fynd â'i wraig a'i ferch, Myfanwy, i'w ganlyn. Yn nes ymlaen daeth ei fab, Alun – a oedd ar y pryd yn fyfyriwr yng Nghaerdydd – i ymuno â'r teulu. Pregethu ac annerch ar ddirwest oedd y gofynion ond roedd yna fwriad i'r amser yn Nyffryn Hafren fod yn seibiant i'w deulu ac yn fath o adloniant iddo yntau. Yr adloniant hwnnw, coelied neu beidio, oedd merlota, a chafodd Puleston amser i'w gofio. Ysgrifennodd Ieuan Iorwerth ysgrif, faith braidd, i'r *Brython* o dan y pennawd 'Puleston a Finnau':

> Cyfrwywyd y ddwy ferlen, a dacw ni'n dilyn yr Hafren hyd ffordd ychydig yn serth a thorlannog – yr afon odditanom ac ochr gribog oddiarnom. A dyna lle'r oeddem yn sgwrsio a mwynhau'n hunain yn yr hen ddull o deithio. A chyda llaw, a oes modd curo'r dull hwn o deithio, hynny yw, mewn mwynhad? . . . Yr oedd y cwbl i gyd i mi'n gysegredig.[20]

Fodd bynnag, erbyn i Puleston a'i deulu gyrraedd yn ôl o Lanidloes i Lŷn roedd yna 'sŵn ym mrig y morwydd' y byddai yna ryfela cyn hir, a fu byd 'Gweinidog Penmount' fyth yr un fath o'r dwthwn hwnnw ymlaen.

PWLLHELI, PWLL HALEN

Ar Sul cyntaf Awst 1914 pregethai Puleston ym Mhenmount, yn ei bulpud ei hun. Fel gŵr aml ei deithiau, a'i glust yn agos i'r ddaear, byddai ganddo well crap ar amgylchiadau'r dydd na'r rhan fwyaf a oedd yn ei gynulleidfa y bore tyngedfennol hwnnw. Y diwrnod cynt roedd yr Almaen wedi cyhoeddi rhyfel yn erbyn Rwsia a rhoi rhybudd terfynol i Wlad Belg. Drannoeth, wedyn, yr Almaen yn cyhoeddi rhyfel yn erbyn Ffrainc ac yn ymosod ar Wlad Belg. Yna, ddydd Mawrth, 4 Awst 1914, Prydain yn cyhoeddi rhyfel yn erbyn yr Almaen a'r byd yn mynd yn dân.

O sôn am dân, yn ystod yr un mis derbyniodd Puleston lythyr yn bygwth llosgi Capel Penmount i'r llawr. Hynny ydi, os na ddiarddelid un o'r aelodau a gyhoeddodd erthyglau yn *Yr Herald Cymraeg* 'parthed cyflwr yr Eglwys Sefydledig yng Ngogledd Cymru'. Yna, ychwanegu: 'Os na ddiarddelwch y dyn cyn y 31ain o'r mis hwn byddaf yn sicr o ddinistrio eich capel.'[1] Penderfynu anwybyddu'r llythyr wnaeth y blaenoriaid, ar wahân i ofyn i'r heddlu lleol gael cip arno, a chanolbwyntio ar y bygythiad mwy oedd yn wynebu byd ac eglwys.

Ar ddechrau'r Rhyfel rhydd Puleston yr argraff ei fod yn oedi cyn mynegi barn derfynol am y Rhyfel Mawr heb ystyried yr oblygiadau i gyd. Er enghraifft, y Sul cyntaf wedi i'r Rhyfel dorri allan, pregethai yn Eglwys Bresbyteraidd Saesneg y Rhyl. Pennawd yr *Holyhead Chronicle*, 14 Awst 1914, oedd 'Blind Preacher Justifies British Action' gyda'r dyfyniad, 'War, he said, was not altogether a bad thing, for by its means very often the best qualities of human nature were brought to the surface.' Mynegodd yr argyhoeddiad annisgwyl yma yn gyson gydol y Rhyfel. Cyfaddefodd hefyd, yn ôl yr adroddiad, iddo gynghori rhai gwŷr ifanc i ymuno â'r Fyddin Diriogaethol, y *Territorials*.

Yn wir, defnyddiodd Adroddiad Eglwys Penmount am 1914 yn gyfle i nodi tair gwers fawr a oedd gan y Rhyfel i'w dysgu i'r eglwysi: undeb, trefn a hunanymwadiad. Wrth iddo fawr ganmol yr undeb a welid ar faes y gad, gwelir ei ddawn yntau i ysgrifennu'n llenyddol feiddgar a tharo'r post yr un pryd:

> Un wers fawr y dylai'r Eglwys ei dysgu oddiwrth y byd yn yr amgylchiad yma ydyw *undeb*. Dyma genhedloedd gwahanol yn ymuno heddiw, hen elynion yn cynorthwyo'u gilydd, – Ffrainc a Lloegr a Rwsia. Wele bobl ddieithr wedi dyfod yn gymdogion

> – Prydain a Japan, Paganiaid India a Christnogion y Gorllewin, Protestaniaid a Phabyddion. Beth sydd wedi ein huno ni? *Teimlad o berygl.* Tybed y bydd yr Eglwys yn llai llygadog na'r byd? Onid ydym ninnau mewn perygl? [Ac] oni ddylai hynny beri i ni anghofio'n gwahaniaethau? Un pla oedd arnom ni oll. A allwn ni, a feiddiwn ni, ar ôl hyn, fod yn fwy o Fethodistiaid nag o Gristnogion, yn fwy selog dros fuddiannau'r Eglwys unigol na thros bethau sy'n eiddo cyffredin i'r Eglwysi oll?[2]

Fu'r brwdfrydedd dros ryfela fawr o dro nes cyrraedd Pwllheli, a'r Rhyfel yn destun sgwrs ar y strydoedd a thu allan i'r capeli. Roedd dychymyg pobl Pwllheli, fe ymddengys, cyn lleted â'u brwdfrydedd. Yr union wythnos y torrodd y Rhyfel allan aeth un o'r trigolion ati i gasglu arian i gefnogi'r ymladd, a gwneud hynny mewn ffordd unigryw:

Mor gynnar â thridiau wedi i'r Rhyfel dorri allan roedd casgliad o filwyr, Tiriogaethwyr, yn gadael Pwllheli am Gaernarfon i fod ymhlith y rhai cyntaf i gyrraedd maes y gad.

> Tua chwech wythnos yn ol daliwyd neidr yn fyw, tua llathen o hyd, gan Mr Evan Jones, Glasgoed, North Street. Cadwyd hi ganddo mewn casgen, ac erbyn bore dydd Llun diweddaf yr oedd wedi dodwy pedwar ar bymtheg o wyau claer wynion o faintioli wyau mwyalchen. Y mae Mr Jones yn ei bwydo â gwlithod a bara, ac ŷf y neidr ddwr yn helaeth. Ceir ei gweled am dair ceiniog a chaiff yr arian eu rhoddi at Gronfa'r Rhyfel.[3]

Y gofeb ym Mhwllheli i'r rhai na ddychwelodd.

O sôn am greaduriaid, y Llun canlynol ymwelodd 'syrcas fwyaf Ewrop' â'r dref, yn ôl y papurau newydd, gyda thros 200 o anifeiliaid a oedd wedi perfformio ddwywaith o flaen y teulu brenhinol. Fodd bynnag, bu'n rhaid gohirio cyngerdd ar gyfer ymwelwyr, er na roddwyd, hyd y gwn i, y rheswm am hynny – y Rhyfel o bosibl.

Roedd un o blant Penmount ymhlith y rhai cyntaf i ymuno, ond nid ym Mhwllheli y bu'r arwyddo. 'I'r Rhyfel' oedd pennawd y nodyn a ymddangosodd yn *Yr Udgorn*:

> Bu i Mr Glyn Williams, mab Mr a Mrs Samuel Williams, *Tanygarn*, sydd yn gwasanaethu mewn swyddfa yn Lerpwl, ymuno ag adran y King's Regiment i fyned i ymladd dros ei wlad. Anfonodd ei feistr frysneges iddo yn ei longyfarch ar ei waith yn ymuno ac yn sicrhau ei gyflog yn llawn iddo tra y byddai ymaith a'i le yn sicr iddo pan ddeuai yn ôl.[4]

Gŵr busnes oedd y tad, yn berchennog Siop Steps ac yn flaenor selog a gweithgar ym Mhenmount er 1906.[5] Yn ôl cofnod yn *Yr Herald Cymraeg*, bu pump o feibion Elizabeth a Samuel Williams yn filwyr yn ystod y Rhyfel Mawr a chafodd y pedwerydd, Robert Saunders, ei ladd yn Fflandrys, 7 Mehefin 1917, a cheir ei enw ar y gofeb.[6] Clwyfwyd Owen, eu mab hynaf, mewn brwydr yn Ffrainc yn ystod Ebrill 1918. Roedd y tad yn fardd ac yn ôl penillion a gyfansoddodd i gofio am ei fab credai, mae'n amlwg, fod milwrio'n rhoi arwriaeth i ddyn:

Ar alwad o'r dwfn encilion
Y daw glewion feib pob oes,
Ac arwyr y brwydrau poethion,
A'r gwŷr sydd yn cario'r groes.

Arall oedd barn Puleston am y rhyfela. Eto, mae digon o gyfeiriadau yn *Yr Herald Cymraeg* a'r *Udgorn* nad oedd cefnogaeth Samuel Williams i'r eglwys a'i gweinidog fymryn llai. Gwahanol iawn fu ymateb nifer o aelodau'r eglwys, a daeth yn bryd i adrodd peth o'r stori honno.

Yn eironig, dyna'r union ddiwrnod y taniwyd yr ergydion cyntaf ym mrwydr gyntaf Ypres a'r ymladd yn symud o Ffrainc i Fflandrys.

RHANNU'R TŶ

Mae'n debyg mai ar 19 Hydref 1914 y bu'r tanio cyntaf ym Mhenmount ynglŷn â chwestiwn rhyfel a heddwch. Yn unol â'r traddodiad, roedd hi'n Ŵyl Ddiolchgarwch am y Cynhaeaf ym Mhen Llŷn – 'Dydd Llun Pawb' fel y'i gelwid – a chapel Penmount, mae'n ddiamau, yn ddymunol lawn.

Yn ystod un o'r oedfaon dywedodd Puleston mai 'cloeon rhy eiddil' oedd gan wledydd Ewrop 'ar gadwyn yr Ysbryd Drwg' ac mai 'un wreichionen oedd eisiau i roi'r byd ar dân.' Yn dilyn, arweiniwyd mewn gweddi gan frawd a ddiolchai 'fod gan Brydain Fawr y fath lynges i'w hamddiffyn rhag anrhaith y gelyn.'[7]

Ymddengys fod Puleston yn ddigon parod i drafod y pwnc yn hollol agored. Ar un ystyr, doedd ganddo fawr o ddewis. Wedi dangos ei liw, a gwneud hynny mor agored, fe'i gorfodid i drafod y pwnc boed hi ar derfyn oedfa neu wrth iddo gerdded y strydoedd, ar daith trên neu ar aelwydydd. Ar y llaw arall, hyrwyddai drafodaeth.

Bu 'dadl ddiddorol a gwresog' yng Nghymdeithas Lenyddol Penmount yn niwedd Tachwedd 1915 ar y testun, 'A ellir cyfiawnhau rhyfel yn wyneb dysgeidiaeth y Testament Newydd?' Puleston oedd yn llywyddu a Samuel Williams yn agor dros yr ochr gadarnhaol. Cymaint fu'r diddordeb fel y caed parhad o'r ddadl ymhen yr wythnos gyda Puleston yn un o'r siaradwyr. Yr 'ochr nacaol' a gariodd y dydd y noson honno.[8]

Anodd dirnad, erbyn hyn, faint oedd y gwrthwynebiad i'w safiad, pa mor gyhoeddus oedd yr anghytuno a pha mor frwnt oedd yr ymatebion. Roedd y 'sêt fawr', mae'n amlwg, yn anghytuno ag o ond am ymresymu yn hytrach na'i erlid:

> Gwahaniaethai'r blaenoriaid oddi wrtho mewn barn, a thybient mai gwell a fuasai iddo ymatal rhag traethu mor feiddgar ar rai o agweddau'r Rhyfel. 'Os mai clefyd yw rhyfel, fel y dywedwch chwi,' meddent wrtho, 'os mai meddw yw'r wlad, pa ddiben ymresymu a meddwyn?' Credai yntau yn ddiysgog mai egwyddorion heddwch oedd ei genadwri deued a ddelo.[9]

Y mwyaf dylanwadol o'r blaenoriaid hynny, mewn byd ac eglwys, oedd meddyg, Owen Wynne Griffith: 'Doctor Mela' i bobl Pwllheli a Phen Llŷn oherwydd enw ei gartref. Bu'n flaenor ym Mhenmount am 60 mlynedd, yn gynghorydd ac

Yn ôl y cofiannydd, dangosodd y blaenoriaid a'r eglwys ym Mhenmount fwy o oddefgarwch at eu gweinidog 'nag a wnaeth unrhyw eglwys arall'.

ynad heddwch, a derbyniodd ryddfreiniaeth y dref am ei wasanaeth iddi.

Stori a hanner ydi honno am y ddau yn cyd-deithio ar y trên i Fangor yn ystod haf 1916; Puleston yn mynd yno i amddiffyn gwrthwynebwr cydwybodol a'r Doctor yno i eistedd ar y Tribiwnlys a oedd i wneud y penderfyniad, 'ac ni bu gair rhwng y ddau ar y ffordd am y neges oedd ganddynt.'

Roedd yna ochr gadarnhaol i heddychiaeth Puleston. Fel nifer fawr o weinidogion, anfonai lythyrau ac anrhegion at fechgyn Penmount a'r Traeth a oedd yn y gwersylloedd neu ar faes y gad - er bod hynny, oherwydd ei ddallineb, yn drafferthus iddo ac yn faich ychwanegol i'w briod. Meddai yn Adroddiad Blynyddol Penmount 1916, 'Gwelwn erbyn hyn fod yma fwlch mawr o'ch colli, a diau y bydd y croeso pan ddeloch yn ôl yn gyfatebol fawr.' Ymfalchïai gymaint wrth gwrs, os nad yn fwy felly, yn y to ifanc a oedd yn gwrthod mynd i ryfela.

Mawr werthfawrogai arfer eglwys Penmount o agor ystafelloedd i groesawu milwyr. Un o'r rhai a gafodd groeso personol gan Puleston oedd yr Is-Gorporal Edgar Lewis James, bachgen ifanc o Ffos-y-ffin, Ceredigion. Yn nes ymlaen, collodd yntau'i fywyd yn y brwydro mawr a chynhaliwyd cyfarfod coffa iddo yn ei gapel. Ceir y sylw a ganlyn mewn rhifyn o'r *Goleuad*: 'Tra yn gwersyllu ym Mhwllheli, ychwanegwyd y Parch. J. Puleston Jones, M. A., at nifer ei gyfeillion a'i edmygwyr, a'i dystiolaeth yntau [Puleston] mewn llythyr at ei berthnasau yn ddiweddar oedd na chyfarfuasai erioed â dyn ieuanc

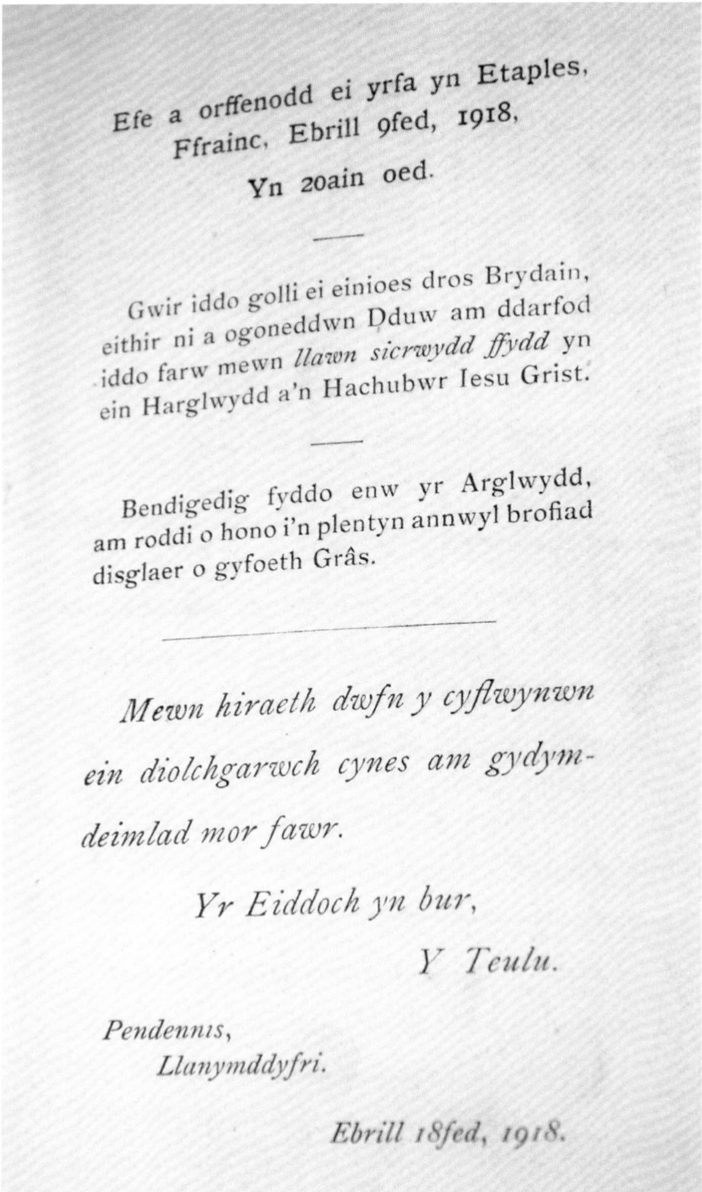

Efe a orffenodd ei yrfa yn Etaples,
Ffrainc, Ebrill 9fed, 1918,

Yn 20ain oed.

Gwir iddo golli ei einioes dros Brydain, eithir ni a ogoneddwn Dduw am ddarfod iddo farw mewn *llawn sicrwydd ffydd* yn ein Harglwydd a'n Hachubwr Iesu Grist.

Bendigedig fyddo enw yr Arglwydd, am roddi o hono i'n plentyn annwyl brofiad disglaer o gyfoeth Grâs.

Mewn hiraeth dwfn y cyflwynwn ein diolchgarwch cynes am gydymdeimlad mor fawr.

Yr Eiddoch yn bur,

Y Teulu.

Pendennis,
Llanymddyfri.

Ebrill 18fed, 1918.

Cofnod o ddiolchgarwch teulu'r diweddar Edgar Lewis James, Ffos-y-ffin, am 'gydymdeimlad mor fawr' Puleston a'i debyg.

purach ei foes a'i ddelfryd.'[10] Roedd adroddiadau blynyddol Penmount, 1914-18, yn cynnwys yr hyn a elwid yn '*Roll of Honour*', gyda'r is-deitl 'Ein Brodyr a ymunasant a'r Fyddin'. Doedd hynny ddim yn eithriad i eglwysi o faint. (Cyfathrebu pob gwybodaeth dros ganllaw y sêt fawr oedd arfer y mân eglwysi.) Yn naturiol, byddai gan Puleston ofid a phryderon o glywed am yr amgylchiadau. Un gŵyn gan rai o rieni a gollodd fab neu a oedd â'u meibion yn y ffosydd, oedd fod ei agwedd yn dibrisio aberth eu bechgyn. Nid fod yna unrhyw brawf i Puleston wneud hynny'n fwriadol.

Cŵyn arall, yn naturiol, fyddai fod mab Lluest Wen, Alun Puleston – mewn cymhariaeth â'u bechgyn hwy – â'i draed yn sych. Roedd gan ei wrthwynebydd, Syr Henry Jones, dri o feibion yn y fyddin a chafodd un o'r meibion hynny, Gwilym Meredydd, ei ladd. Wedi ei eni yn Hydref 1891 byddai Alun o fewn oed gorfodaeth filwrol pan ddaeth y Ddeddf Gwasanaeth Milwrol i rym yn 1916. Ar sail ei fagwraeth, disgwylid iddo fod yn wrthwynebwr cydwybodol ac iddo fod o flaen ei well. Roedd gan David Puleston, ceidwad yr Archif, beth gwybodaeth:

> Ceir amgenach gwybodaeth ychwanegol mewn llythyr a anfonodd at ei fam, dyddiedig 12 Mehefin 1915, yn dweud, 'Having signed for service I know I am open to be called upon for munition work.' Mae'n amlwg, felly, iddo gofrestru fel heddychwr. Â ymlaen i ddweud, 'If I could get over my conscience

> I should love to join the Flying Department. As it is I cannot. Now some form of compulsory service is almost inevitable sooner or later and for the likes of me the only alternative would be to join the RAMC.' Dechreuodd weithio gyda'r *The British Westinghouse Electric & Manufacturing Co Ltd*, yn Trafford Park, Manceinion ym mis Awst 1915 a chredaf ei fod wedi bod gyda'r cwmni yma trwy gydol gweddill y rhyfel.

Fel yr âi'r blynyddoedd yn eu blaenau, a'r rhyfela'n dwysáu, âi pethau'n anoddach i Puleston ac mae hanesydd Penmount, D. G. Lloyd Hughes, yn cadarnhau hynny:

> Yn ddiddadl dioddefodd Puleston gyfnod o dros dair blynedd o nofio yn erbyn y llif ym Mhwllheli. Yr oedd yn debyg, felly, o roddi sylw i'r cwymp yn rhif yr aelodaeth o 537 penllanw 1906, sef y flwyddyn cyn iddo ddechrau ym Mhenmount, i 496 yn 1914 a 452 yn niwedd 1917. Medrai weld y gostyngiadau fel drych o'i aneffeithiolrwydd ac o'r 452 yn niwedd 1917 ni chyfrannodd tua phedwar-ugain ohonynt geiniog at y Weinidogaeth. Ond y mae perygl mewn gosod gormod o bwys ar ddiffyg cyfraniad a chamddehongli'r rheswm am hynny. Yr oedd gostyngiad yn yr aelodaeth i'w ddisgwyl ar ôl i wres y Diwygiad ddechrau oeri a phwy all fesur effeithiau rhyfel ar berthynas dyn ac eglwys.[11]

Wrth gwrs, clywed y gwrthwynebiadau a wnâi Puleston yn hytrach na'u gweld. Gallai hynny, dybiwn i, ei anesmwytho. Yn ychwanegol, cyffyrddodd profedigaeth â'r aelwyd yn niwedd 1915. Yn Llundain, roedd gan ei chwaer, Augusta, a'i phriod saith o blant. Bu dau o'r plant farw o fewn tridiau i'w gilydd ym mis Mawrth 1915 – Stephen yn dair a Puleston yn bump.[12] Ei aelwyd fyddai noddfa Puleston ar oriau tywyll, a'i deulu'n fur o'i gwmpas.

Ym mis Rhagfyr, bu dydd llawen yn hanes y teulu, gydag Annie a Puleston yn dathlu eu priodas arian. Wn i ddim faint o rialtwch a fu, a hithau yn ddyddiau rhyfel: rhyfelgyrch gostus Gallipoli yn mynd o chwith a'r byddinoedd yn cael eu gorfodi i wrthgilio berfedd nos. Mwy gweddïau o ddiolchgarwch a fu, dybiwn i, am y cwlwm a ddaliodd bob straen ac ymgryfhau. Faint bynnag o gyhoeddusrwydd a fu i'r achlysur, bu'r beirdd yn eu cyfarch. Er enghraifft, anfonodd Alafon, ei gyfaill agos o ddyddiau Dinorwig a'r Fach-wen – a fu farw cyn pen deufis – gadwyn o englynion i'w llongyfarch.[13]

Eto, wrth ei ddesg ac wrth ei waith.

Aelwyd i ddau oedd Lluest Wen erbyn hynny er bod yno forwyn. Bu 'Nel', a rhoi iddi ei henw bob dydd, yn forwyn i'r teulu am flynyddoedd

Y teulu ym Mhwllheli, yn llon eu gwedd, serch amgylchiadau enbyd y cyfnod.

lawer ac ar gyfnod yn athrawes yn yr Ysgol Sul Genhadol yn Ysgoldy'r Traeth. Yn wir, i bob pwrpas fe'i hystyrid yn ferch fabwysiedig a'r aelwyd yn gartref iddi. Meddai, mewn rhaglen radio, 'Gyda Mr a Mrs Puleston Jones y deuthum i Bwllheli wedi bod yn gweini gyda hwy am ryw dair blynedd yn Ninorwig.' Yn ystod y rhaglen, fe'i disgrifiwyd hi fel 'ffrind teyrngar i'r teulu'.[14]

Roedd Alun, wrth gwrs, wedi hen adael i fynd i'r colegau a bellach yn dilyn galwedigaeth. Cawn y tad a'r mab yn llythyru'n gyson a chwestiwn rhyfel a heddwch yn brigo i'r wyneb yn aml. Ar ddechrau'r Rhyfel, ymadawodd Myfanwy â'r aelwyd a mynd i Flaenau Ffestiniog, i weithio i'r London City and Midland Bank lle roedd ei hewythr, Henry Puleston, yn rheolwr.[15]

Myfanwy, chwedl cerdd Mynyddog, 'dan heulwen ddisglair canol dydd' a 'rhosyn iechyd' ar ei gruddiau.

Anfonodd Puleston lythyr cynnes at ei ferch ddechrau Ionawr 1916 gan ei chyfarch fel 'Fy annwyl Fartha'; Martha Myfanwy oedd ei henwau bedydd. Yn ôl David Puleston, nid oedd ei nain 'a dweud y lleiaf yn hoff o gwbl o'r enw Martha, yn rhannol oherwydd ymddygiad y Fartha drafferthus honno, chwaer Mair, yn Efengyl Luc, pennod 10.' Mae'n debyg mai ei thad ddewisodd yr enw ac mai fo oedd yr unig un a fyddai yn ei ddefnyddio. Bwriad y llythyr oedd ei chyfarch ar ddydd ei phen-blwydd yn un ar hugain. Mae'r donoliwch, o bosibl, yn cuddio'i ofidiau am y Rhyfel a'r ysgrifennu ysgafn fel pe yn fymryn o ddihangfa iddo:

> Mi 'sgrifennwn lythyr maith, ond nad oes gennyf dân yn y fy mharlwr. Ti weli'r cam dybryd yr wyf yn ei gael wedi'th ymadawiad. Yr unig fantais sy'n dwad imi, yw fod yma lai o dwrw a helynt wrth fy nghychwyn i'm taith . . . Ni ddymunaf it y dymuniad arferol, llawer tro ar y diwrnod, waith fyddai unarhugain bedair gwaith neu bump drosodd yn o dda i ti. Gobeithio y cei hynny.[16]

Nid yw hwn llawn cyn llwyred gwaharddiad â'r un o'r blaen; ond y mae yn ychwanegu rheswm dros y gwaharddiad yr un pryd: "y rhai a gymerant gleddyf a ddifethir â chleddyf." Os wyt ti, Pedr, am ddefnyddio'r cleddau, rhaid fydd I ti dalu'r dreth gleddau. A dyma yw honno, - y peth y soniwyd amdano eisioes, - cymryd holl beryglon y cleddau. Y mae Iesu Grist yn mynd yn feichiau dros ei bobl, ond dim ond cyhyd ag y glynnont wrth yr arfau y mae ef yn eu cymeradwyo. Dyna y mae ef yn ei ddywedyd wrth Pedr yn ymarferol: "Os ei di'r ffordd yna, ni ddof fi gyda thi; cymer dy helynt. Gad lonydd i'r cleddau, mi fyddaf finnau'n gysgod i ti: ond os wyt am ddewis dy arfau, cymer dy siawns." Ac o'r safle yma nid peth drwg yn gymaint ydyw rhyfe â pheth ffôl, rhannu'r ymrafael ag ysbryd y byd. Nid wyf yn dweud nad oes llawer buddugoliaeth i rinwedd a rhyddid a chyfiawnder wedi ei hennill â'r cleddyf; ond buddugoliaeth â tholl drom arni ydyw pob un o honynt. Y mae rhyfel yn ddull trwstan afler o ymladd, fel pe gyrasech y bechgyn allan heddiw i Ffrainc â hen ddrylliau'r Crimea, neu â magnelau Wellington. Dal i ymladd â hen arfau ydyw, wedi dyfod amgenach pethau i'r farchnad.

Rhan o bregeth gan Puleston sy'n dwyn y teitl 'Rhwymun Perffeithrwydd.'

BU GALED Y BYGYLU

'Pobl ffyrnig o ryfelgar sy o'm cwmpas i ym Mhwllheli yma,' cwynodd Puleston wrth ysgrifennu ei golofn wythnosol i'r *Goleuad* yn niwedd Hydref 1914, wyth niwrnod wedi brwydr gyntaf Ypres. Mae'n debyg nad honni roedd o fod mwyafrif y bobl felly ond, yn hytrach, ddatgan fod y rhyfelgarwch yn y dref yn un eithafol.

Bu Pwllheli yn dalwrn amlwg i'r ddadl rhwng y ddwy ochr yn ystod blynyddoedd y Rhyfel; roedd John Williams yno'n recriwtio mor fuan â Medi 1914, ac un o'm hynafiaid i yn ei

'For I don't anticipate much comfort in war-mad Pwllheli', oedd teimladau Alun mewn llythyr at ei dad.

Ym Mhwllheli, mae'n debyg, y croeswisgodd yn gyhoeddus am y waith gyntaf – siwt cyrnol a choler gron – ac roedd hynny adeg Ffair Calan Mai 1915.

osgoi'n fwriadol – rhag ofn. Ym mis Tachwedd, roedd Puleston ac yntau yn cydbregethu ar achlysur agor addoldy newydd i'r Methodistiaid yn Llanfechain, Maldwyn, a Brynsiencyn wedi mynd â'r siwt i'w ganlyn: 'Y noson gyntaf pregethodd Mr. Jones gyda blas neilltuol ar eiriau hollol bwrpasol i'r amgylchiad. Am 10 y boreu pregethodd Mr.Williams yn ei ddillad milwrol ac yr oedd yr olwg arno yn ardderchog.'[17]

Pan ddaeth Deddf Gwasanaeth Milwrol i rym yn Chwefror 1916 trodd apêl daer am wirfoddolwyr yn orfodaeth bendant. Daeth y 'gwrthwynebydd cydwybodol' i fod, yn ei groen ei hun – 'conshi' oedd y llysenw: naill ai'n gwrthwynebu rhyfela unrhyw amser, o dan unrhyw amodau, neu'r Rhyfel a ymleddid ar y pryd.

Wrth bori yn y papurau newydd, sylwais fel y bu Puleston yn eu cefnogi, ymhell ac agos. Y tribiwnlysoedd lleol, ym Mhwllheli, fu'r rhai anoddaf iddo ac fe'i gwawdid gan bobl a oedd yn ei adnabod yn dda. Felly roedd hi yn Ebrill 1916 a Puleston yn y llys i gefnogi ceisiadau 'dau ddyn ieuanc o ardal Rhydyclafdy am esgusodiad cyfan gwbl ar dir cydwybod.' Colli'r apêl fu hanes y gwŷr ifanc ond, serch hynny, cafodd rhai o sylwadau Puleston gymeradwyaeth. 'Nid yn fuan,' yn ôl un adroddiad papur newydd, 'yr anghofir y gymeradwyaeth fyddarol ddilynodd.'[18]

Yn annisgwyl o bosib, talwrn anodd arall iddo oedd Cyngor Eglwysi Rhyddion Pwllheli a gyfarfyddai i drafod cwestiynau byd ac eglwys. Barn leiafrifol oedd un Puleston yn y fan honno'n aml. Conway Pritchard, gweinidog gyda'r Wesleaid a ddaeth i'r dref yn ystod blynyddoedd y Rhyfel, oedd bron yr unig un a'i cefnogai.[19]

Wedi pregethu'r efengyl ganol Awst yn Salem, chwaer eglwys Penmount, roedd John Williams yn ôl ym Mhwllheli yn ystod yr ail wythnos ym Medi. Ei gwmni ar y llwyfan yn Neuadd y Dref oedd Mrs Lloyd George, Cyrnol Alan Percy George Gough, Plas Gelliwig, ac Owen Thomas, 'Rhyfelwr Môn' – y ddau olaf yn filwyr wrth broffesiwn ac wedi brwydro yn Rhyfel y Boer. Yn ddieithriad, bron, byddai gweinidogion y fro yn rheng ar y llwyfan, a'r ficer yno, yn naturiol, yn cynrychioli safbwynt yr Eglwys Wladol. Ym marn Clive Hughes, un a astudiodd hanes recriwtio yng Ngwynedd, 1914-16, yr hyn a ddangosodd faint cefnogaeth Anghydffurfwyr i'r Rhyfel, yn fwy na dim arall, oedd rhan gweinidogion yn y cyfarfodydd listio.[20]

Presenoli ei hun wnaeth Puleston y noson honno ond dewis peidio ag eistedd ymhlith y gwŷr blaen; i gadw wyneb, o bosibl, neu i ddal ar gyfle i fynegi barn wahanol. Yn ddiweddarach, methodd stumogi'r hyn a glywodd gan John Williams a cherddodd allan cyn diwedd y cyfarfod. Yn ôl ei fab yng nghyfraith, R. W. Jones, cyfaddefodd Puleston, wedi'r profiad 'iddo gael argyhoeddiad dyfnach nag erioed y noson honno ei fod ar y llwybr iawn.' Noson siomedig fu hi i'r bobl a oedd ar y llwyfan hefyd. Pump yn unig a ymatebodd i'w hapêl daer am i wŷr ifanc fynd i'r gad.

Yn niwedd 1917 roedd Henry Jones, un o arwyr Puleston, ym Mhwllheli ond ar gwestiwn rhyfel a heddwch roedd y ddau led cyfandir oddi wrth ei gilydd. Y noson honno, doedd Neuadd y Dref ddim ar gael, ond caed caniatâd parod i ddefnyddio ysgoldy Penmount oedd yn gynefin i Puleston. Mynnodd Puleston gael dadl ag o:

> Ar ddiwedd araith Syr Henry cododd Puleston o'r gynulleidfa i ofyn iddo un neu ddau o gwestiynau, a theimlai llawer fod ei gwestiynau yn cornelu'r athronydd. 'Puleston annwyl,' meddai Syr Henry, 'beth sydd wedi digwydd yn dy hanes di? A wyt ti wedi mynd at yr hen griw yna?' Cododd y llywydd i roi pen ar y cwestiynau, ac eisteddodd Puleston yn dawel, a'r tro hwn ymwahanodd y dyrfa mewn cydymdeimlad dyfnach na chynt â Puleston, a chan resynu iddynt golli gweld ymafael codwm rhwng y ddau gawr.[21]

Fu dim rhaid gresynu'n hir cyn cael gweld y cewri'n 'ymafael codwm' unwaith eto. Ganol Ionawr 1918, roedd Henry Jones yn ôl ym Mhwllheli a Neuadd y Dref ar gael. Pwnc yr athronydd, y noson honno, oedd 'Paham na ellir terfynu'r Rhyfel?':

> Yr oedd yn rhaid gwynebu y cwestiwn yn bwyllog a difrifol, a meddwl beth oedd i'w enill wrth barhau y rhyfel a beth hefyd oedd i'w golli wrth roddi terfyn arni yn awr . . . Yr oedd ef yn dyheu am heddwch, ac yr oedd pawb ag yr oedd eu meibion yn y rhyfel,

> fel yr oedd ei feibion ef, yn sychedu am heddwch; ond rhaid cofio fod yn bosibl prynu heddwch yn rhy ddrud. Rhaid oedd iddynt yn gyntaf benderfynu ar ba dir yr oeddynt yn myned i drafod y cwestiwn . . . Yr ydym yn ymladd am heddwch parhaol. Ond rhaid ini gael pob un o delerau heddwch parhaol. Dyda chi ddim haws a gwneyd llong berffaith yn mhob peth ond un peth. Os y gadewch un twll ynddi aiff yr holl long a'i llwyth i'r gwaelod.[22]

Ar derfyn ei araith, roedd y siaradwr yn fwy na pharod i ateb unrhyw gwestiwn ac roedd gan Puleston gwestiynau lawer i'w gofyn:

> 'Sut mae goruchafiaeth filwrol o'n tu ni yn debyg o dd'od â'r Almaen i'w lle?' holodd.
> 'Wel, beth ydach chi yn ei gynyg?'
> 'Wel, os mai ffrwyth cyfiawnder yw heddwch, ai onid heddwch fuasai'r arf goreu i'w trin?'
> 'Dowch a'ch cynllun,' meddai Syr Henry, yn twymo iddi.
> 'Paham na ellir cael cynhadledd? Pe byddai i ni wneyd y cynigion mewn ysbryd cariad cawsai ddylanwad da ar y byd er gwaethaf yr ysbryd drwg sydd yn yr Almaen a phob man arall.'
> 'Ond sut y gellir cynhadledd felly?' ebe Henry Jones yn tanio erbyn hyn. 'Siarad yn yr awyr ydyw peth fel yna!' A chafodd Syr Henry gymeradwyaeth frwd.

Ar y terfyn un, ar awgrym y siaradwr, pasiwyd penderfyniad fod y cyfarfod yn anfon geiriau o gydymdeimlad ac edmygedd at y rhai a oedd yn ymladd, ynghyd ag addewid i'w cefnogi – hyd nes y sicrheid 'telerau heddwch arhosol'. Colli'r dydd a wnaeth Puleston y noson honno cyn belled ag roedd y penderfyniad yn y cwestiwn.

GAN DRAIS Y BLINA'R BYD

Erbyn 1917 roedd y math yna o flinder wedi cyrraedd Pwllheli, fel sawl man arall ledled Prydain. Ymrannai'r blinedig i o leiaf ddwy garfan: y rhai a oedd wedi ymlâdd, fel Puleston, yn amddiffyn eu safiad a'r rhai a lethwyd gan hiraeth am anwyliaid a oedd ymhell o'u cynefin neu a syrthiodd ar faes y gad.

Yn 1916, roedd yr un nifer o filwyr, 45, o blith cynulleidfa fechan y Traeth ag oedd yna o'r gynulleidfa fawr ym Mhenmount.

Yn ystod yr un cyfnod roedd yna ymdeimlad ar gerdded y dylid anrhydeddu'r milwyr mewn rhyw fodd neu'i gilydd. Yn hyn o beth roedd Pwllheli a'r Traeth, yr eglwys genhadol, yn arbennig o frwd:

> Roll of Honour, – Nawn Sul diweddaf [13 Mai 1917] cyflwynodd y Maer (Mr G. Cornelius Roberts) *Roll of Honour* hardd i Ysgoldy Traeth, yn gof am y lluaws bechgyn a ymunodd o'r lle ar alwad y Brenin a'u gwlad ... Dygai pob un dystiolaeth uchel i'r gwaith amhrisiadwy a berthyn iddi fel cofadail i'r oes a ddêl o deyrngarwch y dewrion hyn dros gyfiawnder a rhyddid y dyfodol. Diolchwyd yn gynes i'r Maer am ei rodd werthfawr.[23]

YSGOLDY
Roll of Honour
Y-TRAETH
1914
1918
Evan Dorkins
Ellis P. Williams
Clarence Barma
Owen G. Dorkins
Ellis J. Ellis
John Ellis
Evan Evans
Wm. John Evans
Richard J. Evans
Robert J. Hicks
D. Tremadog Hughes
Ebenezer Hughes
Evan Humphreys
Willie Humphreys
Henry Jenkins
Humphrey Jones
Griffith Jones
Richard Jones
Robert Jones
Willie J. Jones
Ellis Lloyd
Tom Owen
John Parry
Evan Parry
Moses Parry
J. King Pritchard
Hugh Owen
Griffith Owen
Owen J. Owen
Walter Parker
Abraham Roberts
David Roberts
Evan Roberts
John Roberts
Robert Roberts
Robert J. Roberts
R. Jones Roberts
Robert Roberts
Wm. Roberts
William Roberts
Wm. H. Roberts
Evan Thompson
Llewelyn Turner
D. John Williams
Henry Williams
Morris Williams
Robert Williams
Tommie Williams
Robert Williams
Robert Williams
Robert O. Williams
Willie Williams
Wm. Williams
W. J. Williams
ROBERT EDWARDS
GRIFFITH JONES
GRIFFITH C ROBERTS
ROBERT WILLIAMS
A.W.

Wn i ddim a oedd y Gweinidog, Puleston, yn bresennol ai peidio. O leiaf ni chofnodwyd ei enw.

Ddeuddydd yn ddiweddarach, mewn llythyr a ysgrifennodd at gyfaill iddo, a oedd yn gaplan, mynegodd farn eangfrydig iawn am yr hyn a oedd yn digwydd ar y pryd: 'Heno yr ydys yn galw cyfarfod yn Neuadd y Dref i gychwyn mudiad er cadw coffadwriaeth y gwroniaid rhyfel. Rhaid i minnau fynd i hwnnw, waeth mi allaf yn rhwydd, er cased gennyf ryfel, fawrygu ac anrhydeddu gorchestion y milwyr . . .'[24]

Syniad y Parchedig Thomas Charles Williams oedd codi capel coffa, yn gyrchfan i bererinion, a rhoi enw pob un a syrthiodd ar furiau'r adeilad.

Cynhaliwyd nifer o gyfarfodydd yn Neuadd y Dref yn ystod mis Mai 1917 i drafod y mater ond wn i ddim a oedd Puleston yn bresennol ymhob un. Byddai tôn yr anerchiadau, yr awyrgylch hysterig a'r curo dwylo cyson a oedd yn digwydd yno yn sicr o'i ffyrnigo. Ymhlith y siaradwyr ar y nos Fawrth a'r dydd Mercher olaf o'r mis roedd 'Brynsiencyn' a'r Arglwydd Kenyon.

Yn y cyfarfod hwnnw cyhoeddwyd fod brodor o Nefyn, R. Rees Thomas, perchennog llongau yn Lerpwl, eisoes wedi cyfrannu mil o bunnau ac y dylai eraill ddilyn ei esiampl. Apeliodd un o'r siaradwyr, R. J. Thomas – gan roi ergyd lawchwith yr un pryd, dybiwn i – at fechgyn ieuanc y ffermydd, a oedd yn gwneud arian o'r rhyfel, i gyfrannu. Yna, ychwanegodd ei bod hi'n ddyletswydd ar bawb a oedd yn manteisio ar waed y bechgyn, ac yn cael aros gartref mewn diogelwch, i wneud hynny. Bu cymeradwyaeth frwd. Ar y terfyn, cytunwyd i gefnogi'r bwriad ond heb benderfynu ar y dull.

O TORRED ARNOM DDYDD O HEDD

Ym Mhwllheli roedd rhai o heddychwyr y dref – 'gweinidogion yr Efengyl a rhai athrawesau yr ysgolion' yn ôl *Yr Herald Cymraeg* – wedi dechrau ymgasglu i seiadu a cheisio gweithredu. Enw Puleston ar y gymdeithas oedd 'Seiat y Tangnefeddwyr'. Penderfynwyd cynnal cyfarfod ym Mhwllheli i drafod 'Perthynas yr Efengyl â chwerylon o bob math' a chael tri i annerch: Thomas Rees, Prifathro Coleg Bala-Bangor, George M. Ll. Davies – gyda'r enwocaf, hwyrach, o wrthwynebwyr cydwybodol y cyfnod – a Puleston ei hun.

Wrth gwrs, roedd mudiad Cymdeithas y Cymod, a wrthwynebai ryfela ar sail eu dehongliad o'r Ffydd Gristnogol, mewn bodolaeth er diwedd 1914.

Arweiniodd y bwriad at gweryl arall a hynny ynglŷn â'r man cyfarfod. Doedd yr un o gapeli'r dref am fentro agor eu drysau nes i eglwys South Beach gytuno i hynny. Adeilad gweddol fychan oedd yn y fan honno, wedi ei godi mewn ardal newydd ar gwr y promenâd. Dichon y tybiai rhai y byddai hi'n dawelach a diogelach yn y fan honno. Yno y cynhaliwyd y cyfarfod cyn diwedd mis Mehefin:

> Yr oedd tref Pwllheli yn ferw drwyddi, a llawer o nwydau iselaf wedi eu deffro. Cyn amser dechreu yr oedd nifer o frodyr a chwiorydd, beryglus yr olwg arnynt, wedi ymgasglu. Oddi allan i'r capel y mynnai'r mwyafrif o'r teulu hwn fod, a naturiol oedd ymholi pa ddosbarth o'r eglwys a deimlodd y fath ysfa genhadol fel ag i wahodd y teulu hwn. Ein cysur oedd meddwl fod profiad o wrando gair Duw, a bod

> yr awyrgylch gweddi yn brofiad newydd i lawer o'r teulu tu allan i'r Porth. Yr oedd y mwyafrif yn y Capel yn bobl fwyaf parchus a chrefyddol Tref Pwllheli.[25]

Yn annisgwyl iawn, methodd dau o'r siaradwyr â chyrraedd yno. Angladd fu'r rhwystr i'r Prifathro Thomas Rees ac, yn ôl y cofiant, 'anhwylustod y trên' a gadwodd Puleston draw. Os mai un yn hytrach na thri anerchiad a gafwyd 'trechodd Mr. George Davies y dyrfa yn deg trwy rym ei bersonoliaeth foneddigaidd a'i eiriau tangnefeddus.'

I ehangu'r darlun, yr un mis, mewn cymdeithasfa yng Nghaergybi, pasiwyd 'yn unfrydol' fod y Sasiwn yn llawenhau yn y mudiad o blaid heddwch, ac y dylai'r Llywodraeth ddal ar gyfle i sicrhau'r heddwch hwnnw. Cytunwyd i anfon copi o'r penderfyniad at Lloyd George. Yr un pryd, pasiwyd penderfyniad i anfon llythyrau at fyfyrwyr Coleg y Bala a oedd ar faes y gad yn y Dwyrain Pell a phwyso ar flaenoriaid i 'gadw cyhoeddiadau ar gyfer amser eu dychweliad at eu priod waith'; nid y byddai pob un, gwaetha'r modd, yn cael y cyfle i ddychwelyd.

Yn ystod yr wythnos gyntaf ym Medi 1917 roedd Puleston, a chryn 80 arall, mewn Cynhadledd Heddwch yn Llandrindod. Cefnogwyr Cymdeithas y Cymod, a heddychwyr ar sail eu dehongliad o'r Ffydd Gristnogol, oedd y mwyafrif, ond roedd yno hefyd gefnogwyr y Mudiad Llafur. Mewn capeli y cynhelid y cyfarfodydd a chymysgfa o grefydda a gwleidydda fu hi, gyda phregethau a hyd yn oed gyfnodau o weddïo.

Cynhadledd gyntaf Urdd y Deyrnas, mudiad heddwch, yng Nghaerllion, Pasg 1922.

Nos Fawrth, mewn cyfarfod cyhoeddus yng nghapel y Bedyddwyr Saesneg, yr aeth hi'n dân:

> Wedi cychwyn y cyfarfod dan arweiniad yr Athro J. Morgan Jones, M.A., daeth elfen wrthwynebol i fewn. Yn fuan wedi i'r cadeirydd godi a siarad, dechreuodd y gwyr hyn brotestio . . . Aeth yn dwrw yno; golwg go ffyrnig yn wir oedd [ar] y dorf a ddaethai. Ac eto cawsai'r cyfarfod fyn'd ymlaen ganddynt, pe gadewsid sôn am heddwch a gwleidyddiaeth allan o'r anerchiadau. Dywedid yr hoffai rhai o'r dorf glywed Puleston, a gwaeddid amdano ef; ond mynnodd diaconiaid y capel ddiweddu'r cyfarfod heb ragor o siarad.[26]

Ni chynhyrfodd Puleston ddim, yn ôl yr adroddiadau yn y wasg, nac yngan gair amharchus am neb.

SÔN AM HEDDWCH

Ddiwedd Medi 1917 anfonodd Puleston air gobeithiol at ei fab, Alun, yn llawenhau'n fawr fod yna, o leiaf, 'sôn' am heddwch.[27] Ym Mhwllheli, fel sawl man arall, aeth yn hanner blwyddyn a mwy o hau hadau heddwch hyd nes i egin cynnar ddechrau ymddangos – a hynny o gyfeiriad annisgwyl. Annisgwyl, gan mai'r Maer, G. Cornelius Roberts – y blaenor ym Mhenmount a anghytunai â safbwynt Puleston – a wahoddodd weinidogion a swyddogion eglwysi Pwllheli i gyfarfod arbennig yn Neuadd y Dref, nos Lun, 15 Ebrill 1918, i ystyried gweddïo am heddwch. Meddai'r *Udgorn* am y cyfarfod *ad hoc* hwnnw: 'Erioed ni welwyd cyfarfod mor gynrychioladol o ddosbarthiadau mor unol eu llais ac o ysbryd mor ragorol. Teimlai pawb yn ddiwahaniaeth na ellid d'od a heddwch eto i deyrnasu hyd nes ceid preswylwyr y deyrnas i ysbryd o ymostyngiad a gweddi.' [28]

Ddydd Iau, 25 Ebrill 1918, y bu'r wyrth, pan gynhaliwyd ym Mhwllheli yr hyn a alwyd yn 'Ddydd o Ymostyngiad'. Dyma'r manylion:

> Cauwyd yr holl fasnachdai, ac yr oedd Neuadd y Dref yn orlawn yn ystod y cyfarfod. Caed cyfarfodydd rhagorol ymhob ystyr. Y gweddïau yn ddwys ac erfyniadol, a theimladau drylliog y cynulliadau yn profi fod yno wir ymostyngiad a gostyngeiddrwydd ysbryd. Yr oedd gweddeidd-dra a threfn yn nodweddiadol yn yr holl gyfarfodydd. Casglwyd yn

> ystod y dydd 18p. er cael ymborth i'r carcharorion rhyfel Cymreig . . . Canmolid yn fawr ymddygiadau da a phriodol y plant yn ystod y cyfarfodydd. Bu cynulliadau lluosog yn addoli yn y gwahanol addoldai am 7.30 y boreu.[29]

Penderfynwyd hysbysu'r milwyr a'r morwyr o'r trefniant a'u bod yn ymuno yn y gweddïo – os byddai hynny'n bosibl.

Yr oedd y trefnwyr am i'r ysbryd o ymostyngiad fynd ar gerdded. Awgrymwyd fod hanner dydd, o hynny ymlaen, i'w ystyried yn awr weddi. Apeliwyd am i'r capeli a'r eglwysi fod â'u drysau'n agored ar gyfer hynny. Doedd Pwllheli ddim yn eithriad, wrth gwrs. Bu dyddiau o ymostyngiad, tebyg, ar hyd a lled y wlad a thu hwnt. Wn i ddim faint o drigolion Pwllheli a ddaeth i ddefnyddio'r awr weddi; ychydig, dybiwn i.

MI AF YN ÔL I'R WLAD

Math o 'weld o bell y dydd yn dod' oedd hi a gobeithio am 'nef newydd a daear newydd'. Beth bynnag a fyddai'n digwydd ym Mhwllheli yn y dyfodol, roedd Puleston ar fin newid cylch ei wasanaeth. Nos Wener, 7 Rhagfyr 1917, hysbysodd aelodau'r eglwys ym Mhenmount ei fod am eu gadael a hynny am iddo dderbyn galwad i fugeilio eglwys Moreia, Llanfair Caereinion. Gwnaeth hynny, yn ôl *Yr Herald Cymraeg*, gan hanner ymddiheuro am fod y stori eisoes ar led. *Y Goleuad* oedd wedi gollwng y gath o'r cwd, a'r darllenwyr wedi dehongli ymholiad fel penderfyniad terfynol. Yn rhifyn 7 Tachwedd o'r papur hwnnw, o dan y pennawd 'Nodion o Faldwyn', nodwyd fod 'Llanfair yn *gobeithio* llwyddo i ddenu y Parch.

Gwnaeth Elfed Gruffydd, Ysgrifennydd presennol eglwys Penmount, ymchwil anhygoel i hanes milwyr Penrhyn Llŷn a'r enwau ar y cofebau. Yn ei gwmni y gwelais i enw Robert Saunders Williams ar y gofeb ym Mhwllheli.

John Puleston Jones, M.A., i'w plith.' A sôn am ddenu, daeth dau o'r blaenoriaid, W. Alford Jehu a John Christopher, bob cam o Lanfair i Bwllheli i geisio dwyn perswâd arno i newid ardal ac, o bosibl, newid hinsawdd.

Os mynni glod, meddai hen ddihareb, bydd farw; unwaith, roedd gweinidog yn ennyn teimladau tebyg wrth ymadael â'i ofalaeth. Felly y bu hi yn hanes Puleston wrth ymadael ag eglwys Penmount. Barn onest Morgan Humphreys, a oedd yn ei adnabod yn dda, oedd na fu Puleston 'yn bersonol boblogaidd bob amser' yn y dref a'r fro.[30] Barn y Parchedig W. T. Ellis, ac yntau wedi'i fagu ym Mhwllheli, oedd fod yno 'nifer fach yn hanner addoli Puleston ac yn gwerthfawrogi ei gymeriad pur, ei ysbryd cariad a'i feddwl toreithiog' ac i'r rhai hynny lynu wrtho.[31] Nos Iau, 2 Mai 1918, y bu'r ffarwelio a chynulleidfa fawr ym Mhenmount i dalu teyrnged iddo. Samuel Williams, Tan-y-garn, a lywyddai. Un, fel y nodwyd yn barod, â phump o'i feibion yn filwyr a'r pedwerydd, Robert Saunders, wedi'i ladd yn Fflandrys un mis ar ddeg ynghynt. Gyda'i raslonrwydd, disgrifiodd Puleston fel un a oedd yn llawer mwy nag Eglwys Penmount ac 'un a lanwodd y dref a'i ysbryd llydan a'i fedr a'i athrylith.'

Am unwaith, cafodd ei wraig, ei 'hoff Annie', gystal sylw ag yntau ac yn haeddiannol felly. Disgrifiwyd hi gan y Llywydd fel un a 'oedd wedi casglu defnyddiau iddo o bedwar cwr y byd. Yr oedd wedi cario o'r Groeg a'r Lladin iddo, ac nid oedd digoni arno.' Cyflwynwyd iddi set o lestri arian gan gyfeillion eglwys genhadol y Traeth. Y 'Ragged School,' meddai'r *Cymro*, mewn hanner Saesneg, yn 'cyflwyno Sugar and Cream Jug arian i Mrs Puleston Jones i'r hon yr oeddynt yn ddyledus.'[32] Yr un pryd, cafodd Myfanwy, y ferch, lyfr tonau a Beibl gan ddosbarth Ysgol Sul yno.

Ar ran eglwys Penmount, cyflwynodd Owen Wynne Griffith – y meddyg, a'r un a ddaliai farn mor wahanol iddo gydol y Rhyfel – deipiadur i Puleston gan ddweud, yr un pryd, fod yr ewyllys da a oedd tu ôl i'r rhodd yn llawer mwy na'r anrheg ei hun. Wedi diolch am yr anrhegion soniodd Puleston fel roedd 'pawb wedi bod yn garedig iawn wrtho' – er y dichon fod y gair 'pawb' yn fymryn o ormodiaith – ac fel y 'byddai hyd yn oed plant bach pedair oed yn dangos y ffordd iddo,'[33] a doedd plant Pwllheli ddim yn eithriad.

Evan Hughes, un o flaenoriaid Salem – y 'ferch eglwys', chwedl yntau – oedd y realydd, a'r un a ddaeth â mymryn o hiwmor i'r wyneb. Meddyliai'n ddifrifol sut y gallai Penmount fyw ar '*rations* meddyliol' ar ôl mwynhau'r fath wleddoedd. 'Wrth gwrs,' ychwanegodd, yn grafog, 'er ei holl braffter, nid oedd wedi llwyddo i blesio pawb, ond dyna fel yr oeddym, yn disgwyl cael angel am bris pregethwr Methodist.' Beth bynnag oedd syniad pobl Penmount a Phwllheli amdano, credai y byddent yn meddwl llawer mwy ohono ar ôl iddo ymadael.

I FWYNDER MALDWYN – AM YCHYDIG

Yn ystod ail hanner 1917 bu eglwysi eraill a oedd yn chwilio am weinidog i'w bugeilio, ar wahân i Foreia, Llanfair Caereinion, yn ceisio ei ddenu. Y tebygrwydd ydi ei fod wedi awgrymu i rywun neu i rywrai ei fod awydd newid porfa. Yn yr Archif, ceir hanes galwad a ddaeth iddo oddi wrth eglwys y Bowydd a'r Capel Saesneg ym Mlaenau Ffestiniog – y dref lle'r oedd ei frawd, Henry, yn rheolwr banc a Myfanwy yn gweithio i'r cwmni. Yr alwad daeraf o ddigon oedd un oddi wrth eglwys Saesneg, Stow Park, Casnewydd, a'r llythyr wedi ei ddyddio 5 Tachwedd 1917, 'We are quite prepared to give you another week in which to make up your mind . . . I am convinced that you [are] to come to South Wales where you are so much needed.' Erbyn hynny, roedd Puleston a'i wraig wedi penderfynu ar Lanfair ond credai saint Stow Park y dylai newid ei feddwl, 'There cannot be much work to be done at Llanfair Caereinion; the

Emyr Davies, Emyr Ap Erddan, yn sêt fawr capel Moreia, Llanfair Caereinion.

population is here."[1]

Erbyn Mai, 'mis y mêl', roedd Puleston a'i briod wedi mudo i Faldwyn i fyw; y gweinidog newydd yn 56 oed a'i briod ychydig yn hŷn na hynny. Roedd eu cartref newydd, Brook House, am y pared bron â'r Institiwt a godwyd bum mlynedd ynghynt ac a ddaeth yn ganolbwynt bywyd cymdeithasol y dref.[2]

Cefais sgwrs ddiddorol am y fro a'i nodweddion gydag Emyr Davies, Emyr ap Erddan, sy'n fardd gwlad a hanesydd lleol. Ymddiddorodd yn fawr, gydol oes, yn hanes Puleston a'i dymor yn weinidog eglwys Moreia. Roedd ei dad yn flaenor ym Moreia yn nyddiau'r 'pregethwr dall' ac yn gefnogwr iddo. Magwyd Emyr o 12 oed ymlaen yn Maldwyn House, y tŷ capel. Bryd hynny roedd yr ystafell sydd o dan y capel, lle roedd gweithdy Puleston, yn rhan o'r tŷ capel. Cofiai, fel roedd rhai o lyfrau Braille Puleston yn dal yno. Serch i Puleston farw dair blynedd cyn i Emyr gael ei eni, roedd yr hanesion amdano yn fyw iawn yng nghyfnod ei blentyndod a chyfeiriodd yntau ato yn un o'i gerddi:

> O'th Bulpud, gwelodd Puleston olau'r nef
> Yn llewyrch, o'i dywyllwch, hwnt i'w len,
> A'r hen Felinydd duwiol trwy ei lef
> Sugno y gras o'r nenfwd uwch ei ben.
> Yng nghwmni ffrindiau treuliais oriau maith,
> A'u cwmni geisiaf eto hyd fy nhaith.[3]

Ein dau wrth ddrws gweithdy saer Puleston, ac yn chwedleua am ei gampau fel crefftwr.

Barn Emyr Davies oedd y byddai'r Gymraeg, bryd hynny, yn israddol ac y byddai gwleidyddiaeth a heddychiaeth y gweinidog yn bur annerbyniol.

Yn nyddiau Puleston, roedd i'r eglwys dros 200 o aelodau a statws uwchraddol o gymharu â chapeli llawr gwlad; 30 o bobl oedrannus ydi nifer yr aelodau erbyn hyn. Cysgodai hefyd dros yr eglwys ym Meifod. Wrth grwydro Llanfair a'r fro y bore hwnnw ychydig iawn o Gymraeg a glywais i.

Doedd Maldwyn ddim yn dir estron i Puleston. Ceir ei hanes yn pregethu yn y cylch laweroedd o weithiau, ar y Suliau ac mewn uchelwyliau. Fodd bynnag, byddai'r gymdeithas a'r ddaearyddiaeth beth yn wahanol. Tref farchnad oedd Pwllheli ond darn o wlad oedd Maldwyn – Llanfair yn ganolfan, mae'n wir – gwlad a honnai fod i'w phobl ledneisrwydd arbennig.

Doedd y Rhyfel, chwaith, ddim drosodd – ddim o bell ffordd.

Brook House, y mans yn Llanfair Caereinion yn nyddiau Puelston a'i briod.

Ganol Mawrth, â Puleston yn pacio'i bethau, bu brwydro ffyrnig eto yn ardal y Somme a'r Almaenwyr, y tro hwn, yn adfer bron yr holl diroedd a gollwyd yn ystod y brwydro a fu yno yn 1916. O weld y colli tir, ganol Ebrill, dyma ymestyn oedran gorfodaeth filwrol i ddynion i fyny i 50 oed.

Rhwng Awst 1918 a'r cadoediad bu cynhaeaf gwaed enbyd yn Ffrainc a Gwlad Belg: 360,000 o wŷr ifanc yn colli eu bywydau a thua 15 y cant o'r rhai hynny yn perthyn i'r Ffiwsilwyr Cymreig.

A gweinidog yn Llanfair Caereinion, wrth gwrs, oedd Puleston pan ddaeth y Rhyfel Mawr i ben, 11 Tachwedd 1918. Roedd 'Mawr', erbyn hynny, yn ansoddair cwbl addas: mwy nag erioed o genhedloedd wedi ymladd yn yr un rhyfel a mwy o fywydau nag erioed wedi eu colli – dros ddeng miliwn i gyd. Yn naturiol, bu yna ddathlu'r Cadoediad mewn llawer man.

Fe aeth hi'n Rhagfyr 1918 cyn i'r gerdd 'Y Bechgyn yn dod yn ôl' ymddangos ar dudalen flaen *Y Brython*:

> O Fechgyn yr Armagedon!
> Hwy wyddant am lawer cur;
> Daliasant wynebau dewrion
> I stormydd o dan a dur[.]
> Rhown foliant i'r Hollalluog
> Fu'n erbyn y gelyn ffol
> Yn arwain y 'llu banerog',
> I'r Bechgyn gael d'od yn ôl.[4]

Ond ddaeth pob un ddim yn ôl, ddim o bell, bell ffordd.

Yn ôl yr *Herald Cymraeg*, bu 'llawenydd anghyffredin' yn Llanrwst, er yr holai un milwr Seisnig, *what is the use of peace, when there is no beer in the town?*'

TLOTACH BYD

Yn ôl y cofiant, 'aberth ariannol nid bychan iddo oedd gadael Eglwys gref Penmownt am eglwys lai o lawer ei rhif.' Yn

Bryd hynny, telid gweinidogion nid yn unig yn ôl ansawdd y bregeth ond yn gymaint, os nad yn fwy, yn ôl ansawdd y perfformiad.

ystod blwyddyn gyntaf Puleston yn Llanfair bu cyflogau gweinidogion yn destun llythyru brwd yn *Y Goleuad*. Bu trafod ar yr union bwnc mewn Sasiwn yn Llangollen ganol Mehefin 1918. Yr hyn a anesmwythai John Williams, Brynsiencyn (a oedd yn ŵr cefnog ryfeddol) oedd 'mai yn y mannau lle yr enillai gweithwyr y cyflogau uchaf y telid leiaf i weinidogion.' Credai ei bod yn afresymol disgwyl i 'weinidog teilwng ymweled â'r eglwysi [i bregethu] am 30s. y Sul a thalu ei dreuliau ei hun.'[5] Cyn belled ag roedd maint y tâl yn y cwestiwn, y trysorydd a wnâi'r penderfyniad gan amlaf. Unwaith, o leiaf, bu ei fam yn euog o hynny ar derfyn oedfa noson waith yn Arenig ac mae honno'n stori a hanner:

> 'Pregeth sâl,' meddai'r fam wrth roi'r gydnabyddiaeth iddo, ''chei di ddim punt am honn[a], John; dyma i ti saith a chwech.' Ymhen ychydig wythnosau dywedai'r fam wrtho iddi glywed canmol oedfa a gawsai ef mewn Sasiwn. 'Yr hen bregeth saith a chwech oedd gen i, mam,' meddai yntau.[6]

Yn Awst wedyn, caed llythyr yn *Y Goleuad* gan un a'i galwai ei hun yn 'Dyn o'r Sêt' yn awyddus i fynegi barn yr aelod cyffredin. Y farn honno oedd y dylid codi'r tâl am fugeilio yn hytrach nag am bregethu: 'Nid yn unig y mae'r dyn cyffredin yn meddwl y dylai'r bugail gael cyflog teilwng, ond y mae'n meddwl y byddai'r fugeiliaeth yn well pe telid yn well amdani.'[7] Fodd bynnag, daeth yr ymateb mwyaf cignoeth o ddigon yn niwedd Medi a hwnnw, yn annisgwyl, yn Saesneg.

'A Minister's Wife' a'i hanfonodd, yn medru darllen y Gymraeg yn burion ond yn anabl i'w hysgrifennu:

> Living in a typical colliery district for a considerable number of years, I cannot help but notice how unfairly the collier, in general, deals with the minister. I admire the collier's fight for his rights, his 'dyhead' for justice and fair play, and his cries for brotherly love; at the same time he forgets that he in a sense is an employer too . . . Do they think that the 'manna' falls into our cupboards? And that some kind angel leaves a load of coal every month at the back-yard door, and that our husbands are taken to their 'cyhoeddiadau' in aerial chariots?... There is a great deal of silent suffering and misery and poverty on the hearth of the manse, and it is full time to remedy matters. When will the deacons move?[8]

Dyfynnais gan ddyfalu beth tybed oedd ymateb gwraig Puleston wrth ddarllen *Y Goleuad* i'w gŵr, fel y gwnâi'n wythnosol. Roedd hi'n ddyddiau pan oedd gwraig y gweinidog yn aml yn cario beichiau trymion ac roedd Annie Puleston, yn sicr, yn enghraifft unigryw o lafur gwirfoddol o'r fath.

TLODI ARALL

Yn ystod chwe mis cyntaf 1918 tlodwyd Puleston a'i deulu mewn ffyrdd eraill. Pan oedd ar fin mudo o Bwllheli, 11 Mawrth 1918, bu farw'r brawd agosaf ato yn 54 oed. Yn

1886 ymfudodd Robert Lloyd i'r Merica ac yno priododd ei gyfnither, Fanny Jane Puleston, cyn dychwelyd i'r Bala gyda'i deulu tua 1891. Mewn teyrnged iddo a ymddangosodd yn *Y Brython* cafodd ei ddisgrifio fel 'gŵr amlochrog iawn, ac o athrylith ddiamheuol.'[9]

Fe etifeddodd Robert Lloyd lawer o nodweddion ei dad gan ddod yn arwerthwr, pensaer, peiriannydd sifil a syrfëwr, er iddo fynd i drafferthion ariannol cyn diwedd ei oes. Fel ei dad, ymddiddorai mewn llywodraeth leol a chefnogai yntau eisteddfodau a hyd yn oed actio mewn dramâu. Yn 1902, fe'i hetholwyd yn gyd-flaenor â'i dad yng Nghapel Tegid; ei dad yr hynaf ac yntau'r ieuengaf yn y sêt fawr.[10]

Yna, yn fuan wedi symud i Lanfair Caereinion collodd Puleston ei fam. Roedd honno'n golled enbyd iddo; ar lawer cyfrif hi a'i gwnaeth. Bu hi farw fore Mercher, 17 Gorffennaf 1918, yn ei chartref yn Arenig yn 87 mlwydd oed. Wedi iddi golli ei gŵr, yn ei hunigrwydd, bu Puleston yn fawr ei ofal amdani. Er bod ganddi, yn ôl Cyfrifiad 1911, forwyn a honno'n byw i mewn.[11]

Wedi i'w phriod a hithau symud i Arenig, yn nechrau'r nawdegau, yn ôl gwefan y teulu, Puleston Jones Family History, daeth y fro anghysbell honno yn fath o ganolbwynt i'w bywyd. I ddyfynnu rhifyn o'r *Brython*, 'Ty Dduw a'i ordeiniadau fu pethau uchaf ei meddwl, a gofalodd hi a'i phriod am adeiladu ystafell gyfleus i'r ardalwyr addoli Duw yn ymyl; a phan gafwyd y capel newydd cyfleus presennol tuag wyth mlynedd yn ol rhoddasant y tir y saif arno'n rhad.'[12]

Ceir llythyr ati, dyddiedig 8 Ebrill 1901, oddi wrth Gyfarfod Misol Dwyrain Meirionnydd yn diolch iddi am ei 'haelfrydigrwydd yn rhoddi darn mor helaeth o dir at godi capel yn yr Arenig ac yn addaw swm mor anrhydeddus at y Drysorfa adeiladau.'[13]

'A allodd hon hi a'i gwnaeth.'

O hynny ymlaen, hi, yn fwyaf arbennig, oedd tu cefn i'r bwrlwm o weithgareddau crefyddol a diwylliannol a gynhelid yn y fro honno. Mewn rhifynnau o'r *Seren* (y Bala), yn y golofn 'O Odrau Arenig', ceir sawl adroddiad am blant ysgolion y cylch yn cael eu cludo mewn troliau i Fodrenig – weithiau am ddiwrnod cyfan – i'w diddanu a'u haddysgu.[14]

Wedi cyrraedd cefn gwlad, dechreuodd fagu diddordeb mewn botaneg ac arbenigo mewn rhywogaethau gwahanol o redyn:

> Yr oedd Barddoniaeth wedi gorfod rhoddi lle i Lysieuaeth ers amryw flynyddoedd, ac yr oedd Mair Clwyd yn dra chyfarwydd ym maes y Rhedyn Prydeinig. Yr oedd ganddi gasgliad campus o Redyn, yn eu mysg rai eithriadol o brin. Enillodd y gwobrau cynygiedig am Y Casgliad goreu o Redyn,

Ar ôl talu diolchiadau gwresocaf i deulu hael Bod'renig, cychwynnwyd adref ar ôl i Mrs Jones anrhegu pob un o'r plant gydag afalau a bara brith: *Y Seren*.

> yn Eisteddfod Daleithiol Ffestiniog, cystadleuaeth Amgueddfa Grosvenor, Eisteddfodau Cenedlaethol Ffestiniog, Lerpwl, a Chaerdydd. Enillodd hefyd dlws arian yn Rock Ferry am y Casgliad goreu o Flodau Gwylltion.[15]

Anfonai Puleston air ati yn rheolaidd. Pan ddathlodd ei phen-blwydd yn 80 oed anfonodd lythyr diddorol ati yn manylu am rodd a brynwyd iddi. Fflasg wactod, *vacuum flask*, oedd y rhodd – a alwai Puleston yn 'gostrel wegni' – ac a fyddai'n 'cadw pethau'n gynnes am ugain awr'. 'Tybied yr oeddym,' awgrymodd, 'y gallasai eich cwsg fod yn fwy bylchog yn yr ugain mlynedd nesaf yma.' Rhydd gynghorion manwl ar sut i'w defnyddio.

Ysgrifennai ati ar drothwy pob Nadolig, fe ymddengys, pan fyddai atgofion am golli gŵr a thad yn fyw iawn i'r ddau. Fel hyn yr awgrymodd mewn llythyr byr ati, 22 Rhagfyr 1913, 'Diwrnod tywyll fydd dydd Mawrth i chwi ac i ninnau. Ni fuasai fy nhad ddim yn hoffi iddo fod yn dywyll a di-olau, a ni fydd o ddim chwaith.' Yr un dydd ag y penderfynodd fynd ymlaen â'r alwad i symud i Lanfair Caereinion anfonodd lythyr at ei fam i'w sicrhau nad oedd Llanfair 'ddim pellach o dref y Bala nag oedd Pwllheli' ac y gellid, o gymryd y trên, 'ddyfod o Lanfair i'r Bala yn nyddiau heddwch am naw ceiniog yn rhagor nag o Bwllheli.'

Yn ôl *Y Brython*, ddydd ei hangladd, 20 Gorffennaf, roedd 'llenni i lawr dros ffenestri y siopau a'r tai' yn y Bala, gyda gwasanaeth yng Nghapel Tegid a mynwent Eglwys Crist.[16] Gan fod ei heiddo cyn lleied, yn ôl y farn gyfreithiol, dyddiedig 15 Ebrill 1919, nid oedd yn angenrheidiol i brofi'r ewyllys.

OND BLAS AR FYW

Fel ym mhobman arall lle bu'n byw, wedi cyrraedd Maldwyn, cafodd Puleston brofiadau dymunol a blas ar fyw. Yn ei lythyrau, yn arbennig, y ceir atgofion am werddonau o'r fath. Ymweliadau'r plant â'r aelwyd – Myfanwy ac Alun ymhell yn eu hugeiniau, erbyn hyn – oedd y tonic gorau. Ddiwedd Hydref 1918, roedd Myfanwy yn ei warchod a'i wraig oddi cartref. Ysgrifennodd yntau lythyr tynnu coes at 'My dearest Annie' yn ymfalchïo, mae'n amlwg, yn y ferch a'i gwarchodai: 'Do come home. I say it with all sincerity, for there is no more peace from letter-writting, with your daughter than with you. We have cleared nearly all the coeddiadau letters. Myfanwy is not a bad sort.'[17]

Ganol Medi 1919, wedyn, roedd Alun gartref ac Annie, unwaith eto, ar wyliau. Anfonodd lythyr maith ati yn manylu fel y bu'r ddau ohonynt yn crwydro'r wlad, 'Alun and I had a lovely tramp,' o Langadfan i Lanwddyn a thros lechweddau i lawr i Rosygwaliau ac aros noson yn y Bala. Drannoeth, aeth Puleston i Arenig, cynefin ei rieni, 'Alun went to Summerhill for the week-end, and preached at Cerni, though he had gone without ammunition.'[18]

Serch ei fod yn dal i grwydro, fe ymddengys fel petai bywyd beth yn fwy hamddenol iddo ac yntau yn neilltuo mymryn

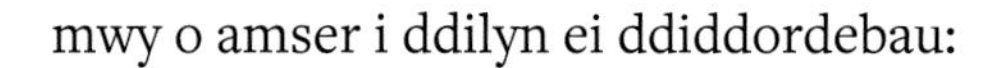

mwy o amser i ddilyn ei ddiddordebau:

> Yn nhymor olaf ei oes, codai fel rheol yn fore, a chyn brecwast âi am awr o saernio a myfyrio yn ei weithdy mewn seler o dan gapel Llanfair – hyd stryd oddiwrth ei dŷ. Âi yno wedyn weithiau ar ôl swper, ac arhosai yno tan hanner nos. Yn y gaeaf torrai goed tân, a dygai ferfâd ohonynt drwy'r stryd at y tŷ. Hyfrydwch iddo oedd torri estylch seddu'r capel i ddal cwpanau'r Cymun, trwsio dodrefnyn ac anaf arno i gyfaill, gwneuthur berfa i un arall yn gystal â bwrdd pren gwyn yn rhodd briodas i Fyfanwy. Dygai bachgennyn ato ei geffyl pren ddi-olwyn a'r enethig ei dol doredig i'w chyweirio, ac wrth drwsio teganau plant bach Llanfair, paratôi lyfr ar 'Yr Iawn' yr un pryd.[19]

Wrth adolygu'r cofiant mewn rhifyn o'r *Clorianydd*, mae Llwydiarth Môn yn cyfeirio at y berthynas unigryw a oedd rhwng Puleston a phlant Llanfair Caereinion:

> Wedi cael y fraint o fyw drws nesaf ond un iddo yn ystod ei drigias yn Llanfaircaereinion, byddem yn cael gair bron bob dydd pan fyddai gartref . . . Byddai plant y dref yn falch o'i gwrdd ag yntau yn mwynhau eu cwmni, gan eu galw wrth eu henwau i gyd. Mawr eu sylw pan ddaeth yma gyntaf; yn rhyfeddu at ei fedr yn y gweithdy o dan y capel. Tyrrai nifer ohonynt at y

O sôn am blant, Stephen a David Puleston wrth silff lyfrau o waith eu hen daid – ei lun o ar y silff uchaf.

> drws i'w wylio'n fanwl yn gweithio wedi nos, heb na channwyll na golau o fath yn y byd; yn dyfod o hyd i'r hoelion manaf heb un anhawster.[20]

Efallai mai dyma'r cyfle i roi un enghraifft o hoffter mawr Puleston o blant bob amser. Am ddoniolwch diniwed plant y soniodd, unwaith, wrth ddiolch i deulu am lety noson:

> Y mae Huw a Buddug yn mynd yn ddoniolach bob dydd. Daeth Huw i'm galw yn y bore, a theimlo moelni fy mhen, a gofyn, 'I be' roedden-nhw'n ei dorri fo i gyd?' Ychwanegai toc: 'Well i chi godi, Mr. Puleston Jones. Y maen nhw wedi cael ham mawr o'r top [o'r trawst]. Mi fyddan wedi ei fyta fo toc'.[21]

A BLAS AR GRWYDRO

Wedi cyrraedd i Faldwyn daliodd ati i grwydro Cymru fel o'r blaen, a thu hwnt, a'r trên fyddai hi fynychaf; y trên bach i'r Trallwng a newid i drên mwy yn y fan honno. Roedd ei athrylith i ffeindio ffordd, i newid trên neu adnabod pen y daith yn dal i ryfeddu pawb. Meddai mewn llythyr a anfonodd at ei wraig, un pnawn Sadwrn, wedi teithio ar drên rhwng Amwythig a Rhiwabon, a chael caredigrwydd mawr, 'O bydd arnoch fyth eisiau cydymdeimlad, eisteddwch ar fag ar ganol y platfform.' Ar y trên wedyn, os na byddai ganddo gwmnïwr âi am y Braille, a darllen. Ar drenau y teithiau i'w gyhoeddiadau pell:

> Gofynnid iddo gychwyn yn gynnar brynhawn Sadwrn, a byddai'n hwyr arno yn aml brynhawn Llun yn dychwelyd. Byddai ganddo amser ddydd Llun ar ei ffordd adref i fyned trwy'r dyrfa brysur am farchnad y Trallwng, a dwyn baich o gaws neu o ffrwythau oddi yno gydag ef. Trawodd un tro ar afalau wrth ei fodd, a brysiodd i chwilio am focs priodol i'w cludo ac am hoelion a morthwyl i'w diogelu. Dug ef ei hun y bocs

> o orsaf y Trallwng ac i fyny ar y trên bach i Lanfair. Mawr oedd syndod ei briod ac eraill wrth ei weled yn cyrraedd pen y daith gyda'r bocs a'r geiriau '*Wine and Spirits*' mewn llythrennau duon breision arno.[22]

Mae David Puleston yn cofio fel y byddai ei nain, Myfanwy, yn hoff o adrodd dywediad ei thad, 'fod angel yn gofalu amdano ar bob platfform'.

O orfod, cerdded fyddai hi i rai o gapeli cefn gwlad Maldwyn. Ar dro, marchogai rhywun i'w gyfarfod â merlen ychwanegol i'w ganlyn a 'mawr fyddai'r difyrrwch o weled Puleston ar gefn y ferlen a'i draed ar y ddaear, a heulwen ar ei wedd' yn cyrraedd y capel. Os cerdded fyddai hi tuag adref, ar derfyn dydd, deuai ei wraig i gwrdd ag o hanner ffordd.

'Hyfrydwch mawr iddo fyddai ymweled â'r ffermydd,' meddai'r cofiant. Gwnâi bethau mor annisgwyl â mesur hyd a lled y teisi gwair a 'phrysuro i'r beudai i *weld* yr anifeiliaid.' Barn un o ffermwyr mwyaf yr ardal, a arferai feirniadu defaid yn y Sioe Frenhinol, oedd 'y gwyddai Puleston gymaint ag yntau am ddefaid.' Anodd credu hynny. Dichon mai sylw rhy hael un o edmygwyr Puleston oedd hwnnw, a ryfeddai at faint ei ddiddordeb a'i wybodaeth am amaethu, yn ogystal ag ymdrech lew Puleston – fel gyda'r chwarelwyr, unwaith – i fynd i mewn i fyd ei gefnogwyr.

EI BATRWM GWAITH

Yn ôl y dogfennau a'r llythyrau a ddiogelwyd, ni newidiodd Puleston fawr ddim ar ei batrwm gwaith wedi iddo ddychwelyd i gefn gwlad gyda phregethu, unwaith eto, yn cael y flaenoriaeth. Yn ystod cyfnod Pwllheli bu'n traethu'n gyson ar ystyr y croeshoeliad. Wedi cyrraedd Maldwyn, glynodd at yr un pwnc, gyda chysondeb, a dwysáu'r neges yr un pryd; 'myned i bregethu'n fwy Efengylaidd a wnâi Puleston o hyd.'[23]

Pregethai ym Moreia fore a hwyr, ddwywaith y mis, a golygai hynny gryn baratoi iddo – ac i'w briod. Ar dro, byddai'n paratoi cyfres ar yr un thema ac weithiau, fel pob hen lwynog, yn ailgylchu peth deunydd o'r gorffennol ond

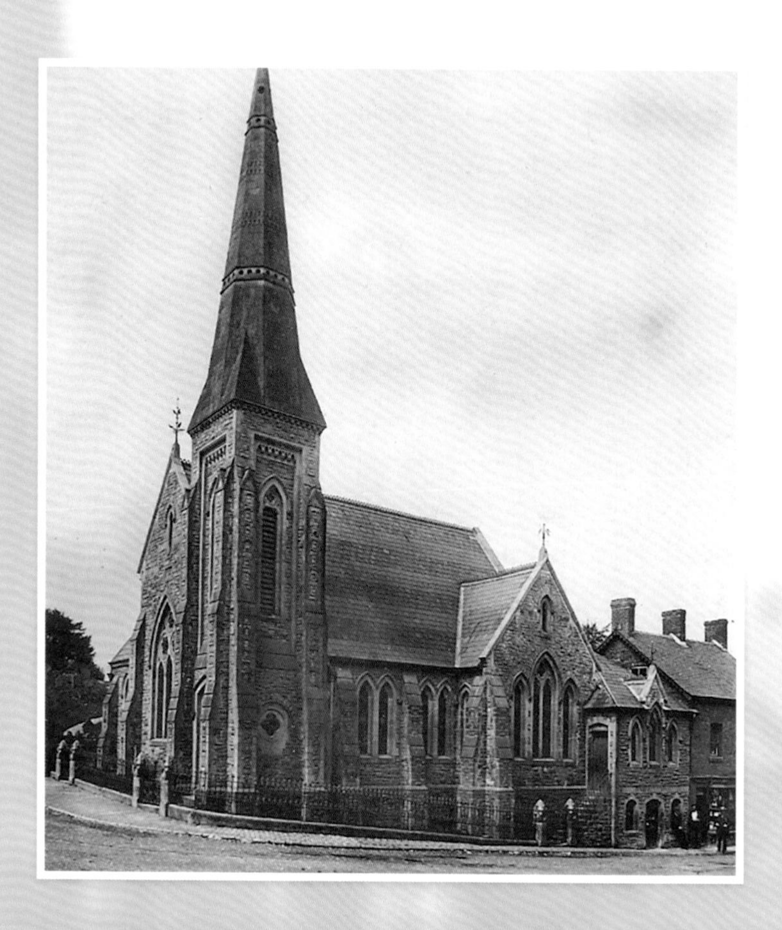

Moreia, Llanfair Caereinion a'i dŵr pigfain.

gan ei ddiweddaru. Gan fod i Lanfair Caereinion elfen Seisnig, hyd yn oed bryd hynny, a bod rhai o'r cefnogwyr yn Saeson, anelai at gael oedfa Saesneg ei hiaith bob yn ail Sul. Cefais yr argraff i'w farn ar gwestiwn yr iaith liniaru peth er dyddiau gadael Princes Road.

Daliodd ati i ddarlithio fel o'r blaen gan ailfarchogaeth rhai o'r hen gesig o'r dyddiau gynt. Er enghraifft, yn *Y Cymro*, 10 Rhagfyr 1919, ceir ei hanes yn darlithio i Gymdeithas Lenyddol Croesoswallt ar hen, hen ffefryn, 'Cynganeddion y Beirdd Cymraeg'. Ym mis Mai 1920 bu farw ei gyfaill oes, Owen M. Edwards. Lluniodd yntau ddarlith amdano, ond gan osgoi atgofion personol a chanolbwyntio, yn gynnil, ar faint ei gyfraniad:

> Gwnaeth Owen Edwards fwy er ennill y werin i ddarllen Cymraeg na neb arall – Na! rhaid i mi fod yn ofalus. Mi ddysgais wers pan oeddwn yn byw ym Mangor. Arferwn fynd i gyfarfod pregethu yn y cylch bob blwyddyn, ac i'r un tŷ am dê. Ar dê un tro gofynnodd gwraig y tŷ i mi, 'Mr. Jones, a fyddwch yn lecio *jam currants* duon?' 'Byddaf,' meddwn innau, 'dyma'r gorau gennyf o bob *jam*.' 'Rhyfedd iawn,' meddai merch y tŷ, 'mi ddywetsoch yr un peth yn union llynedd am *jam gooseberries*.' Nid wyf wedi anghofio'r wers. Gwell i mi yw dweud bod Owen Edwards ymysg y gwŷr pennaf a ddysgodd i werin Cymru garu'r iaith a'i llên.[24]

Fodd bynnag, mae'n awgrymu mai 'pennod rhwng cromfachau oedd pennod y Senedd' yn ei hanes:

> Dywedodd hen frawd o bregethwr – Thomas Dafis, Melin Barhedyn, beth gwir iawn wrtho unwaith. Gofynnai Owen iddo: 'Oes gennoch chi ddim cyngor rowch chi imi, Tomos Dafis?' Ciliodd yntau gam neu ddau yn ol i gael ail olwg arno; ac meddai: 'Paid byth a chwffio. Wnei di ddim cwffiwr.' Tybed y gwyddai'r hen bererin gymaint o wir oedd yn ei ddeud? Nid trwy ymladd y byddai Owen Edwards yn dangos ei wroldeb, ond trwy ddewis ei lwybr ei hun a glynu wrtho heb ofni na gwg na gwên . . . O herwydd yr elfen yma, ac o herwydd ei fod wedi ei alw at waith mwy, ni chyrhaeddodd ef mor enwogrwydd a enillodd rhai o'i gydwladwyr mewn *politics*. Mewn gair, nid oedd na champ na rhemp gŵr plaid yn perthyn iddo.[25]

Fe'i cefais yn anodd dirnad sut berthynas yn union a fu rhwng y ddau wedi dyddiau ysgol a choleg. Diddorol oedd dod ar draws llythyr a anfonodd O. M. at Puleston, dyddiedig 10 Chwefror 1919, yn ei gyfarch fel 'chwi'. Wedi manylu am ei sefyllfa ariannol, mae O. M. yn ymddiheuro pam na allai ei helpu, 'ond medraf gael benthyg rhai i chwi a chroeso.'[26] Methais â darganfod, hefyd, pam yn union roedd Puleston angen benthyciad o'r fath.

Yn Chwefror 1922, wedi cystudd enbyd, bu farw un arall o'i arwyr mawr, Henry Jones. Bu'n arwr iddo er y noson honno y soniwyd amdani'n gynharach, a'r athrylith o Langernyw, yn nyddiau Coleg y Bala, yn chwarae ei fedyddio. Cafodd ei athroniaeth, ei ddarlithoedd a'r hyn a ysgrifennodd ddylanwad pellgyrhaeddol ar Puleston a bu'n darlithio arno yntau rai gweithiau. Wedi marw Syr Henry Jones rhoddwyd cryn ofod yn *Y Goleuad* i ystyried a oedd y 'crydd athronydd' yn Gristion ai peidio. Credai Puleston ei fod ac aeth ati i'w amddiffyn ar dudalennau'r papur hwnnw.

Daliai i fod yn Rhyddfrydwr o'r hen deip a doedd y tân gwleidyddol a fu'n llosgi yn ei galon wedi oeri dim. Yn Chwefror 1921, a'r coalisiwn rhwng y Rhyddfrydwyr a'r Ceidwadwyr o dan arweiniad Lloyd George mewn dyfroedd dyfnion, bu is-etholiad hynod boeth yng Ngheredigion – 'Anghydfod Ceredigion' ydi'r pennawd yn *Llyfr y Ganrif*. Penderfynodd W. Llewelyn Williams – awdur, newyddiadurwr, cyfreithiwr a chyn-aelod seneddol – sefyll am sedd Ceredigion, a llwyddodd Lloyd George i gael un o'i hengsmyn, y Capten Ernest Evans, i sefyll yn enw'r Coalisiwn.

Yn ogystal â'r anghytuno ynglŷn â'r Llywodraeth roedd helynt y Black and Tans yn Iwerddon yn rhan o'r cweryl; Ernest Evans a gariodd y dydd o 300 o bleidleisiau.

Aeth Puleston i lawr i Geredigion i ymgyrchu dros Llewelyn Williams. Bu'n annerch yn Aberystwyth, Ceinewydd ac Aberaeron. Bu ei bersonoliaeth, mae'n debyg, yn ddigon iddo gael cystal gwrandawiad â neb yn Aberaeron ac Aberystwyth ond yn y Cei cafodd yntau fedydd tân:

Yr oedd cynllwyn trefnus yno gan lafnau gwallgof i'w guro i lawr, ond wedi sefyll yn dawel ar y llwyfan am chwarter awr, llwyddodd i wneuthur rhai sylwadau'n hyglyw i ychydig wrandawyr . . . Aeth Puleston o'r Cei Newydd i Aberaeron, a chododd ei gynulleidfa yno i frwdfrydedd uchel. Diau bod y deng mil pleidleisiau a roed yn ffafr Llewelyn Williams i raddau yn ffrwyth y rhan a gymerodd Puleston.[27]

Puleston ar y blaen, hynafgwyr o boptu iddo, a'r myfyrwyr a ordeiniwyd yn y Gymanfa Gyffredinol yng Nghaergybi, Mehefin 1924.

Er nad oedd Puleston yn ddyn enwad wrth reddf, nac yn fynychwr cymdeithasfaoedd a henaduriaethau o'i fodd, daliodd i'w mynychu wedi cyrraedd Maldwyn. Dywedwyd na fu 'erioed yn falchach o unrhyw anrhydedd' na'i ddewis yn Llywydd y Cyfarfod Misol. Mae'n syndod na fyddai Arfon neu Lŷn ac Eifionydd wedi ei ddyrchafu, ond tybid mae'n debyg y byddai ei ddallineb yn fagl iddo. Ym Maldwyn, ac yntau wedi trosi'r dogfennau i Braille ymlaen llaw, ynghyd â'i dalent anhygoel i nabod rhai wrth eu lleisiau, ni chafodd unrhyw drafferth.

I fwynder Maldwyn am ychydig fu hi, wedi'r cwbl. Yn fuan wedi cerdded i mewn i ddauddegau'r ganrif, dechreuodd amgylchiadau'r teulu newid.

SERCH EI DDALLINEB, NID O'I HERWYDD

Dilysnod Puleston er yn ddeunaw mis oed oedd dallineb, gyda'r 'plentyn dall', ac yna'r 'pregethwr dall', yn fath o lysenwau iddo. Perygl hynny ydi anghofio'r hyn a gyfrannodd o, serch ei ddallineb, a hynny ar yr un gwastad â phob cystadleuydd arall.

PREGETHU A DARLITHIO

Yn nyddiau Puleston, roedd gwyliau pregethu, lle byddai mwy nag un pregethwr, yn dal i fod yn fath o gyfarfodydd cystadleuol, gyda'r pulpud yn llwyfan, y bregeth yn berfformiad a'r gwrandawr yn ei sedd yn rhoi'r marciau.

Er dyddiau Bangor, bu'n crwydro Cymru, a thu hwnt, i bregethu, a hynny yn y ddwy iaith. Er enghraifft, y Sul olaf o Chwefror a'r cyntaf o Fawrth 1911 pregethai yn Christ Church, Westminster Bridge Road – adeilad, meddid, yn eistedd 3,000. Cyfeiriodd y *British Weekly* at ei ddoniau,

'Mr. Jones has rich gifts of imagination and spiritual fire' a chyhoeddwyd un o'r pregethau yn *Christian World Pulpit*. Ar y pryd, fe'i disgrifiwyd gan un fel 'the famous sightless preacher of Wales' ac un arall yn haeru 'he reads the Bible better than most of us who see.'[1]

Mae'n amlwg i mi na ddibynnai Puleston ar dechnegau poblogaidd pregethwyr ei gyfnod: rhethreg a bloedd, act a dynwarediad. Y dull ymgomiol a ddefnyddiai, rhesymu ac athronyddu yn hytrach na harthio a bloeddio. Un farn oedd ei fod o yn y blynyddoedd cynnar yn well pregethwr i bregethwyr nag i gynulleidfa gymysg. Barn arall oedd y byddai wedi bod ymhell uwchlaw ei wrandawyr oni bai ei fod yn pupro'i bregethau â chryn dipyn o hiwmor, arfer peryglus ar y pryd. Bu ei fab yng nghyfraith yn ddigon gwrthrychol i gydnabod mai 'anwastad iawn' oedd ei ddawn ac nad âi 'ddim o'i ffordd i ymdrechu am ddylanwad gwneud.' Bron nad yw'n awgrymu ei fod yn rhagori fel gwrandäwr.

Dau ddosbarth oedd yna, bryd hynny, y 'pregethwr mawr' a'r 'pregethwr at iws gwlad'. Yn y dosbarth cyntaf y gosodid Puleston – nid ar y brig bob amser.

Teimlai Thomas Charles Williams mai 'diddorol yn hytrach na grymus' oedd o: yn yr ail ddosbarth, mae'n amlwg, y gosodai Puleston.[2] O ddarllen amdano, rhaid gofyn a fyddai wedi gosod unrhyw un arall yn y dosbarth cyntaf, ar wahân iddo ef ei hun.

Bryd hynny, roedd y 'pregethwr-ddarlithydd' yn ffigur o bwys a pherthynai Puleston i'r categori hwnnw hefyd. Math o ddau am bris un oedd hi. Fe'i gwahoddid i bregethu ddwywaith neu dair yn ystod y Sul. Yna, i ddefnyddio'i ddawn i ddarlithio, naill ai nos Sadwrn wedi iddo gyrraedd, neu'r nos Lun ganlynol. Wrth ddarlithio, disgwylid iddo daro tant gwahanol. Caniateid mymryn o hiwmor ond, wrth gwrs, osgoi gormod trwch.

Fel y gwelwyd yn barod, darlithiai Puleston ar ystod eang o bynciau mewn amrywiaeth o feysydd yn cynnwys crefydd a llenyddiaeth. Gyda'r fath gyfoeth deunydd, heb air ar bapur, roedd yn destun rhyfeddod i'w wrandawyr sut y llwyddai i storio'r fath gyfoeth ar ei gof a dyfynnu yn ôl y galw. I sôn am un neu ddwy nas cyfeiriwyd atynt yn barod. Un o'r ffefrynnau am gyfnod oedd 'Adar y Nefoedd a'u Nythod'; tyrrai rhai i'w gwrando, meddid, gan ddisgwyl gwledd am ryfeddodau byd natur ond sôn am y gwerthoedd y bu'r eglwys yn eu cysgodi, yn eu nythu, oedd y thema.

Testun ei ddarlith boblogaidd arall, ar un cyfnod, oedd 'Areithio'. Traethai am dechneg siarad cyhoeddus effeithiol: peidio malu a'r felin yn wag; os torrwch ffenestr peidiwch â throi'n ôl, hynny ydi, wedi cam gwag ewch ymlaen heb oedi a sefyllian, ac wedi tanio'r ergyd, eisteddwch yn hytrach na mynd ati i siarad. I gael yr hiwmor angenrheidiol adroddai hanes Joseph Thomas, Carno – a bregethai yn y Bala pan gollodd Puleston ei olwg – yn annerch ar anniogelwch ystadegau:

> 'Y mae sôn ar led,' meddai Joseph Thomas, 'fod yr Achosion Cymraeg am farw ymhen cenhedlaeth neu ddwy, am nad oedd teuluoedd yn dod o'r wlad [i Lerpwl] fel cynt, ond nid oes sail i'r si hon. Dywedai

> gwraig yn Sir Drefaldwyn acw dro'n ôl wrth y forwyn, 'Jane, dyro lo ar y tân, ond bydd yn gynnil, achos mae yna sôn fod yna brinder glo yn y wlad.' Yn y man daeth y bachgen o'r ysgol, ac meddai, 'Mam, yr oedd y meistr yn deud heddiw fod yna ddigon o lo yn y wlad am naw can mlynedd, beth bynnag.' 'Felly,' meddai'r fam. 'Jane, dyro glap arall ar y tân.' Gwelodd y gynulleidfa'r wers ac nid ymdrôdd Joseph Thomas i'w chymhwyso.[3]

O ran darlithio, y llafurwaith mwyaf a'i hwynebodd (a'i wraig) oedd paratoi'r Ddarlith Davies a'i thraddodi mewn Cymanfa Gyffredinol yn Rhosllannerchrugog ym Mehefin 1909. Ysbrydoliaeth y Beibl oedd y pwnc astrus a ddewisodd Puleston gyda'r Testament Newydd yn sylfaen i'r ddarlith. Cafodd ganmoliaeth am ei ddarlith, ar lafar ac mewn print, ac anogaeth i gyhoeddi gwaith a ystyrid yn gam ymlaen yn y dull o ddehongli'r Beibl. Dyma farn gohebydd (anystywyth ei Gymraeg) *The Rhos Herald* am y ddarlith a'r darlithio:

Crefydd ydi'r maes gosod, gyda'r darlithydd i ddewis ei bwnc o fewn y maes hwnnw. Mae'r arfer yn dyddio'n ôl i 1893 a thraddodir y ddarlith yn flynyddol.

> Am bump o'r gloch prydnawn Mercher yr oedd y Capel Mawr yn orlawn o rai wedi ymgasglu i wrando ar y Parch. J. Puleston Jones, M.A., Pwllheli, yn traddodi y Ddarlith Davies. Fel rheol sych ac annyddorol i'r cyhoedd yw y darlithiau hyn, ond y waith hon llwyddwyd i ddewis testyn oedd yn apelio yn fawr at gynnulleidfa yn Rhos, a llwyddodd y

darlithydd i'w wisgo a dyddordeb ag oedd yn hoelio ei wrandawyr o'r dechrau i'r diwedd.[4]

GOHEBU, ADOLYGU, LLENYDDA

Cofnodwyd yn barod mai fel bardd, neu'n hytrach emynydd addawol, yr ymddangosodd gwaith Puleston mewn print am y waith gyntaf ac yntau yn 11 oed. Yn ôl a ddiogelwyd yn yr Archif, ychydig o gerddi a gyfansoddodd yn ystod ei oes, englynion yn bennaf.[5] Eto, ymddiddorai yn fawr ym myd barddoniaeth – gan arbenigo ym myd yr emyn.

Ar gyfer y wasg, yn bapurau newydd a chylchgronau, y cyfrannodd yn bennaf a hynny gyda chysondeb rhyfeddol. Mae'n amlwg, serch hynny, nad oedd bod yn greadigol er ei fwyn ei hun yn apelio fawr ato; yn fwy nag at y rhan fwyaf o lenorion y cyfnod. Dyma a ysgrifennodd wrth adolygu cyfrol dromlwythog D. Miall Edwards, *Crefydd a Bywyd*, 'Y llenyddiaeth ysgafnaf a ddarllenir – y llenyddiaeth honno nad yw fawr o dreth ar yr ysgrifennwr na'r darllenwr chwaith, y nofel a'r newyddiadur.'[6] Fodd bynnag, yn ôl ei ferch, 'hoffai ddarllen gweithiau'r hiwmorist Americanaidd, Stephen Leacock'; yr union ddeunydd a gollfarnai.[7]

Gan fod rhai o gyfrolau Leacock wedi goroesi mae David Puleston o'r farn mai'r drefn fyddai gwrando ar eraill yn darllen o'r llyfrau ac yntau'n wrandäwr.

Roedd yn ffan o waith Jerome K. Jerome – llenor o'r un anian ac o'r un cyfnod – gyda'r clasur *Three Men in a Boat* yn ffefryn mawr ganddo. Yn yr adolygiad hirfaith hwnnw o

Y sbectol a wisgai er na welai drwyddi. Gorchuddio oedd ei phwrpas, mae'n debyg. Arwyddai i eraill mai dyn dall oedd – serch ei gampau.

gyfrol Miall Edwards, ceir enghraifft o'i ddawn ei hun i greu'r doniol a'r diddan:

> Gynt byddai'r hen yn dal gafael ar yr un egwyddor ag y byddai Robert Hughes o Gonwy, hen bregethwr o Fethodist yn cadw'i le mewn parlwr tŷ capel ar ddiwrnod Seiat Fisol. Byddai'r hen bererin wedi ei osod ei hun yn gyfforddus mewn rhyw barlwr bach ar ddiwrnod oer, i orffwys tipyn, ac o bosibl i fwynhau mygyn wrth danllwyth o dân braf. Ac yna, dôi rhyw

> frodyr, yn brysurdeb i gyd, yno i gadw pwyllgor, a dyna a ddywedai Robert Hughes wrth y dyfodiaid 'Os ydw i ar y ffordd, ewch chi allan.'[8]

Daeth ei fri fel adolygydd, wrth grefft ac yn ôl y galw, gyda'i onestrwydd a'i degwch. Wrth adolygu *Caniadau* John Morris-Jones mewn rhifyn o'r *Goleuad* aeth mor bell â mynegi'r farn a ganlyn:

> Fel ysgolhaig, odid na chytunai pawb cymwys ei farnu, ei fod ef yn y rhenc flaenaf; fel bardd, dichon y bydd yn ei gylch beth gwahaniaeth barn. Ni fu ef ei hun bob amser yn dringar iawn o'i gyd-feirdd; ac y mae'r beirdd at eu gilydd yn rhai pur groendeneu, fel na synnem ni fawr, weld troi gwydrau pur gryfion ar ei waith i chwilio am ddiffygion ynddo. Ac wrth chwilio, diameu y gellid eu cael . . . Hefyd nid yw Morris Jones yn hynod am y cywreinder cynganeddol, sydd wedi mynd yn orhoffedd rhai o feirdd ein hoes ni. Y mae fel Goronwy, yn dra chwannog i'r gynghanedd lusg . . . Ond wrth y rhai a welo fân feiau yn ei ganu ef, y cwbl a ddywedaf yw, nad wyf finnau yn gwbl farw i rai o honynt; eithr y mae rhywbeth mwy nag apsenoldeb mân feiau – y ddawn sy' gan ambell un i beri i chwi golli ysbryd beirniadu wrth ddarllen eu gwaith.[9]

Wrth adolygu, gwallau iaith oedd y bai pennaf yn ei olwg ac ar adegau felly gallai fynd am y brif wythïen. Ei arfer oedd rhoi rhestr o'r camgymeriadau tua therfyn yr adolygiad, nodi'r rheolau gramadeg a chywiro.

Wrth gwrs mae angen pig glân i glochdar. Wedi iddo gyhoeddi cyfrol o'i bregethau, *Gair y Deyrnas*, ym mis Mawrth 1924, aeth D. Tecwyn Evans (a oedd, yn ôl ei gofiannydd, Tudor Davies, 'yn ieithydd o'i gorun i'w sawdl') ati i adolygu'r gyfrol mewn rhifynnau o'r *Cymro*. Serch ei edmygedd o'r awdur pan ddaeth at gywirdeb yr iaith, aeth ati i sgubo gyda brws brasach na'r un a ddefnyddiai Puleston ei hun. Rhestrodd nifer faith o gamgymeriadau gan ychwanegu 'nid oes neb a ŵyr mai gwallau ydynt yn well na Phuleston ei hun.' Yna, dweud nad oedd wedi gwneud 'dim ond yr hyn a wnaeth Puleston ei hun lawer gwaith.'

'Pan adolygai lyfr yr oedd fel pe'n ymhyfrydu mewn nodi gwallau orgraff; Mrs Puleston Jones, wrth gwrs, oedd wedi dywedyd amdanynt, ond ni wyddai pawb hynny': E. Morgan Humphreys.

Wrth fwrw golwg dros y rhestr 'Llythyrau, ysgrifau a llyfrau' Puleston sydd ar derfyn y cofiant mae'n anodd dirnad sut y llwyddodd, gyda'i fagad gofalon a'i ddallineb yn gloffrwym ychwanegol, i ysgrifennu cymaint a chyda'r fath amrywiaeth.

> Yng nghyfnod Dinorwig, yr oedd cymaint o alwadau eraill arno, fel y costiodd ei lafur llenyddol iddo golli cwsg lawer. Gofynnid weithiau am i erthygl ddal y *post* bore trannoeth yn Llanberis, ddwy filltir o ffordd o'r tŷ; gweithiai yntau'n hwyr, a chodi'n fore i ddanfon yr ysgrif ei hun i lawr y 'llwybr cul' dros Bont y Bala am y *post*, ac wrth ddychwelyd rai gweithiau ar awr

> saethu yn y chwarel, byddai raid iddo lechu mewn cwt bychan ar y ffordd.[10]

Yn ychwanegol at ei 'ddygnwch mawr' roedd hunanaberth diarbed ei briod. Lai na blwyddyn wedi marwolaeth Puleston caed cyfle i ddatgan hynny, yn enw'r teulu: cyflwynwyd *Ysgrifau Puleston* 'i Annie, gweddw'r diweddar John Puleston Jones, fel teyrnged o barch diffuant iddi am ei chynorthwy i'w phriod, ac am ei gwasanaeth i'w chenedl.' Wedi meddwl, hwyrach y dylai'r hen deipiaduron, y Remington, yna'r Corona a gariai o le i le, gael eu hanrhydeddu hefyd.

Bu cwyno fod ei Gymraeg yn rhy 'werinaidd', yn rhy agos at y pridd. Yn ei ysgrif goffa, 'Syr Owen Edwards', mewn rhifynnau o'r *Geninen*, rhydd Puleston deyrnged aruchel i'w gyfaill oes am roi bod i'r 'orgraff ddiwygiedig o ysgrifennu'r iaith Gymraeg.'[11] Yn fwriadol, gadawodd ei enw ei hun allan, ond gwnaeth yntau ei ran.

Bryd hynny, fel heddiw, roedd James Clarke a'i Gwmni, Llundain, yn enwog fel cyhoeddwyr llyfrau academaidd gan arbenigo ym meysydd hanes a chrefydd.

UNTIL THE DAY DAWN

Cymerodd bedair blynedd i Puleston droi'r Ddarlith Davies, a fawr ganmolwyd, yn gyfrol faith gyda mynegeion manwl ar ei therfyn a rhestr hir o'r myrdd cyfeiriadau Beiblaidd. Cymraeg oedd iaith y ddarlith ond Saesneg dethol oedd iaith y gyfrol uchelgeisiol, *Until the Day Dawn,* a chwmni o Loegr a'i chyhoeddodd.[12]

Roedd gan Puleston asiant yn gweithio ar ei ran, David Erwyd Jenkins, a oedd hefyd yn fath o olygydd creadigol

Whenever the Spirit stirs the Church to new enthusiasm, it is by opening to it the Scriptures afresh that He does it. That course of religious history which ended in Christ has made a spiritual revolution to which there is no parallel. It has become at once the means and the test of the Spirit's working. The light that lighteth everyman is at work everywhere; but if you want to make that light effective, or if you want to know whether you have it in its most effective form, the Word of God in the Bible is your readiest resource. It will be more than a means of grace. Other books are a means of grace; but the Bible is, for those who have learnt how to use it, the touchstone by which other means of grace may be tested. Its distinction among books, even among the best books, is that it is the fountain head of the revelation that culminates in Christ; and the witness of Christ's Spirit in the heart of man is the final and irrefragable evidence of its truth.

Dyfyniad o *Until the Day Dawn*

iddo.[13] Serch hynny, mae'r ohebiaeth, sy'n ymestyn o Ragfyr 1912 hyd Hydref 1913, yn awgrymu y bu cael y gyfrol i olau dydd yn dasg a hanner i Puleston a'i deulu. Bu gofyn iddo wneud myrdd o benderfyniadau: maint a gwedd y gyfrol a'r math o brint, nifer y copïau i'w hargraffu a faint i'w rhwymo ymlaen llaw, y pris gwerthu, trefnu cyhoeddusrwydd a'r dull marchnata, yna golygu'r cyfanwaith a chywiro'r broflen derfynol – heb sôn am wynebu'r gost. Mae'r cyflwyniad sydd ar ddechrau'r gyfrol yn llawn haeddu'i le, beth bynnag am fod yn ddigonol: 'To my wife who has for many years borne the heaviest share in all my studies, and all my literary work.'

Anfonodd Jenkins lythyr at y teulu o Gladstone Villas, Dinbych, 14 Mawrth 1913:

> We have probably seen the last of the proofs, and the next thing will be the sight of the happy volume dressed in its best Sunday-go-to-Sasiwn suits. I'm glad you found the Index to your liking . . . Tell Myfanwy and Mrs Jones that they have done well for beginners, and I will recommend them for promotion . . . I hope to get a review to the *Fane*r as soon as the book is out, unless you have somebody else to review it there for you.[14]

Mae'n amlwg, felly, mai David Erwyd Jenkins a luniodd y mynegeion ac y bu Myfanwy a'i mam yn pori drwy'r proflenni.

Y broblem ynglŷn ag Ysbrydoliaeth yr Ysgrythurau a'u hawdurdod oedd pwnc y gyfrol. Unwaith eto, athroniaeth Hegel a apeliai at Puleston gyda rhesymeg a rhesymu yn garn i bopeth. Teimlai mai yn y termau hynny y gellid deall yr efengyl a dehongli'r Beibl. Llwyddodd yr Athro D. Densil Morgan i roi cynnwys y gyfrol mewn ychydig eiriau: 'Mewn pymtheg pennod grefftus a darllenadwy, mae'r awdur yn gosod ei thesis gerbron, fod y mewnol yn rhagori ar yr allanol; fod y profiadol yn cael blaenoriaeth dros y ffeithiol; fod efengyl yr Apostolion yn ysbrydol yn hytrach na chnawdol; a bod gweinidogaeth Iesu yn herio gormes y llythyren.'[15]

Pan gyhoeddwyd *Until the Day Dawn* yn 1913, tybiodd Jenkins y byddai'r gwerthiant yn gwneud Puleston yn filiwnydd ond y byddai her a newydd-deb y deunydd yn ei yrru i'r stanc:

> There will be a heresy hunt as it is, over your admission that the pre-Abrahamic narrative is not history. I shall glory in fanning the flame. Keep your old boots and clothes for the *stanc*. We will build it in Pwllheli Smithfield. When the book comes out, Mrs Jones must find me a Sunday your way, and kill the cockerel for Monday's dinner. Then my hands will be free to betray you.[16]

A defnyddio idiom Saesneg, angharedig, math o *vanity publishing* fu hi, a'r awdur ar lawer cyfrif yn hunan-gyhoeddwr.

Ym marn yr Athro D. Densil Morgan, 'Syniadau Puleston oedd fwyaf cydnaws â theithi'r rhyddfrydiaeth ddiwinyddol a ddaeth i fri wedi'r Rhyfel Mawr.'[17] Serch hynny, araf fu'r gwerthiant, siomedig fu'r ymateb a phrin yr elw. Amrywiol fu natur yr adolygiadau ac ychydig o ymateb a fu i'r cynnwys. Roedd y cwsmeriaid tebygol, hwyrach, wedi'u trochi yng nghyfrol John Cynddylan Jones, *Cysondeb y Ffydd*, a gyhoeddwyd wyth mlynedd ynghynt, gyda gwarchod yn hytrach na'r chwalu yn apelio mwy at feddylfryd y cyfnod. Gan R. Tudur Jones y caed yr adolygiad miniocaf o ddigon a hynny mor ddiweddar â 1982:

> Ai ystyr hyn yw fod y crediniwr Cristnogol wedi ei gynysgaeddu â datguddiad rhagorach nag un Iesu o Nasareth? Ac os felly, sut y gellir priodoli'r fath ddatguddiad i'r Ysbryd Glân y cyfeirir ei waith yn benodol at oleuo'r Iesu hanesyddol i'r meddwl? Ym

Un ddamcaniaeth boblogaidd (ond un amheus) oedd y byddai'r ymateb wedi bod yn well petai'r awdur wedi cyhoeddi'r gyfrol yn Gymraeg.

> meddwl Puleston, fe gawn enghraifft glir iawn o ffoi i oddrychedd a welir yn yr un cyfnod yng ngwaith y beirdd Rhamantaidd.[18]

Dridiau cyn Nadolig 1913, anfonodd Puleston lythyr at ei fam yn dechrau fel a ganlyn: 'Caniatewch i minnau yn hwyr ddiolch am y pumpunt. Fe ddaeth mewn adeg yr oedd yn dda iawn wrtho, er fod y llyfr yn mynd, neu wedi mynd yn ddiweddar yn o dda. Yr ym wedi printio pum cant yn ychwaneg, ond heb rwymo namyn cant.' Yr awgrym ydi fod Puleston, fel hunan-gyhoeddwr, ar ei golled.[19]

CYFROL ARALL AR Y GWEILL, OND ...

Ychydig flynyddoedd yn ddiweddarach, roedd gan Puleston gyfrol ddiwinyddol arall ar y gweill. Roedd y pwnc yr un mor astrus, sef ystyr a phwrpas aberth y groes. Yr 'Iawn' oedd y gair Beiblaidd a ddefnyddid, a allai olygu unioni cam neu dalu iawn am achosi colled neu drosedd. (Cymodi neu adfer perthynas ydi ystyr gysefin y Saesneg, *atonement*). Bu'n athrawiaeth y bu trafod arni er dyddiau'r Eglwys Fore, ac wedyn gan ddiwinyddion ac athronwyr fel Anselm ac Abelard, ac yn nes ymlaen Tillich. Erbyn dyddiau Puleston, i Brotestant roedd y pwyslais, at ei gilydd, ar y syniad o dalu pris: yr Iesu dibechod yn ei aberthu ei hun yn wirfoddol fel pridwerth dros bechodau'r hil ddynol, i gymodi dyn â Duw a dwyn bywyd tragwyddol i grediniwr.

Doedd dehongliad gwahanol Puleston ddim yn dibrisio

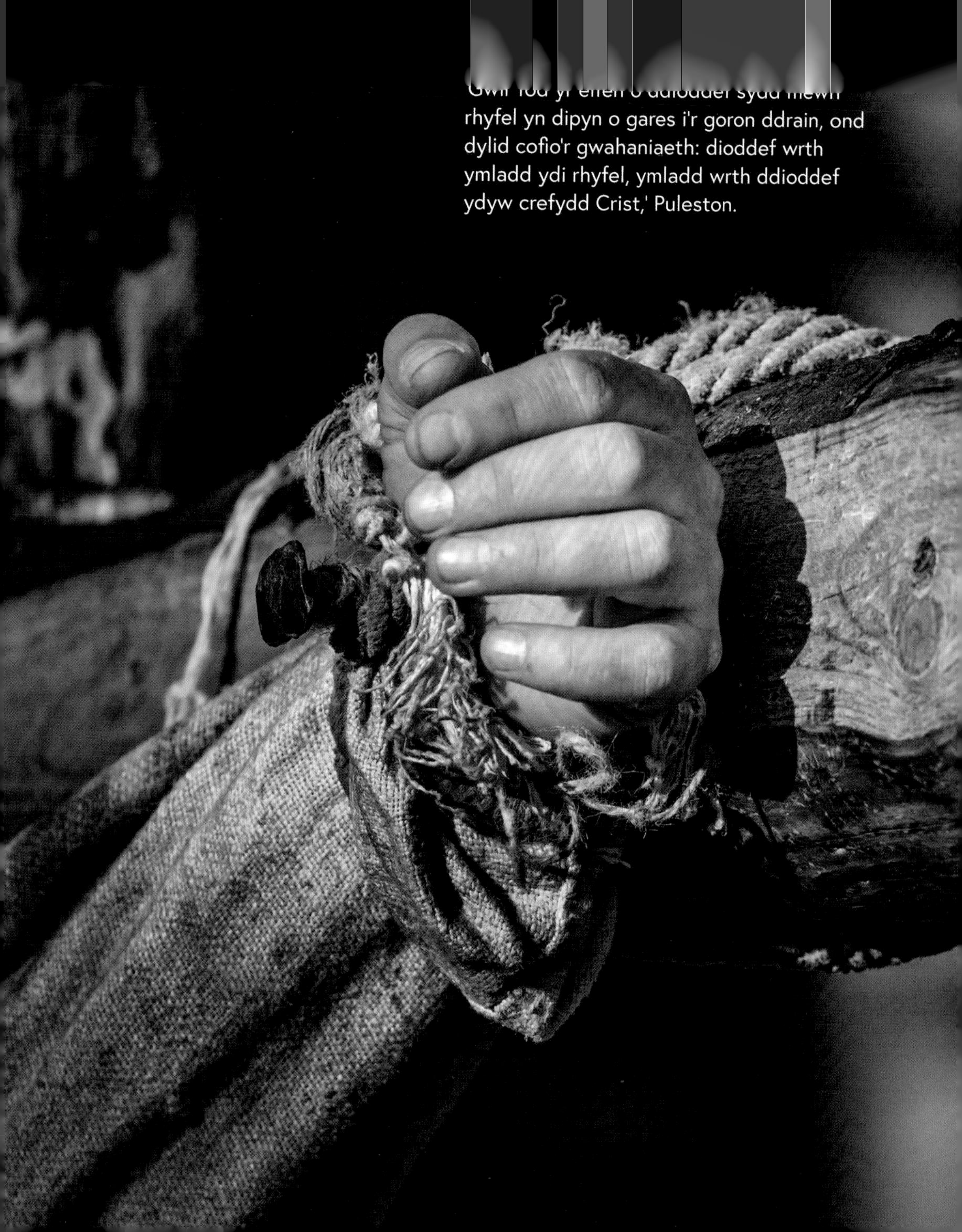

'Gwir fod yr elfen o ddioddef sydd mewn rhyfel yn dipyn o gares i'r goron ddrain, ond dylid cofio'r gwahaniaeth: dioddef wrth ymladd ydi rhyfel, ymladd wrth ddioddef ydyw crefydd Crist,' Puleston.

aberth Crist ond am roi iddo letach a dyfnach ystyr. O leiaf, dyna ei fwriad. Credai nad digwyddiad unwaith ac am byth oedd yr aberth dwyfol ond ei fod erioed yn Nuw – 'cyn llunio'r byd, cyn lledu'r nefoedd wen' – ac yn parhau felly; y Duw sy'n dal i ddioddef a'r Crist sy'n dal i gael ei aberthu.

Yr oedd hyn, yn ôl yr Athro Densil Morgan eto, yn ddehongliad cwbl newydd, yn nes o lawer at y syniad Catholig ynghylch Crist yn ei offrymu ei hun yn barhaus gerbron Duw yn y nefoedd. Y perygl wedyn, yn ôl Densil, oedd i'r aberth gael ei dynnu oddi wrth ei wreiddiau mewn hanes. Ei gamp fawr, yn ôl Tecwyn Evans, wedi marw Puleston, oedd 'estyn y cortynnau ac ehangu'r gorwelion' a 'gofalu hefyd am sicrhau'r hoelion'.[20]

Cyfrol o naw pennod oedd Puleston yn ei bwriadu, ond pedair a lwyddodd i'w cwblhau. Wedi ei farw, cyhoeddwyd y deunydd yn y gyfrol *Ysgrifau Puleston* a ddaeth o'r wasg ar drothwy Nadolig 1926. Gan Saunders Lewis y caed yr adolygiad mwyaf cefnogol, ei gatholigiaeth yn siarad o bosibl: 'Nid ei ysgrifau llenyddol, er cystal ydynt, sy'n dangos gwir faint Puleston Jones ond yn hytrach ei lyfr mawr anorffen, 'Yr Iawn', camp gwirioneddol o Gymraeg ystwyth a meddwl diwinyddol craff, sydd o ran ei weledigaeth yn pwyntio'r ffordd at rai o egwyddorion Teilhard de Chardin.'[21]

Pan gyhoeddwyd cyfrol o'i bregethau, *Gair y Deyrnas*, lai na blwyddyn cyn ei farw, cafodd deyrnged annisgwyl, a hynny yn yr iaith Saesneg: 'One does not regard a volume of sermons as a book to be read of an evening with your feet on the fender. And, as a rule, it is safe not to regard it in that light, for the printed sermon is often woefully dry and dead. But there are exceptions and *Gair y Deyrnas* is one of them.' Eto, go brin y byddai ei gyfrol o bregethau, 'traed ar y ffendar' neu beidio, yn taro deuddeg heddiw.[22]

YMGYRCHU, AR BAPUR

Ymgyrchu ar lwyfannau, wrth fyrddau Cymun a hyd yn oed o bulpudau oedd yr arfer; John Williams yn arbennig felly. Yn amlach na pheidio, dewisodd Puleston y gair ysgrifenedig yn llwyfan i'w heddychiaeth. Ym mlynyddoedd cynnar y Rhyfel roedd yng ngofal 'Colofn Hawl ac Ateb' yn *Y Goleuad*; darllenwyr yn anfon cwestiynau ato ac yntau'n defnyddio colofn neu ddwy o'r wythnosolyn i gynnig ateb neu atebion.

O Fedi i Dachwedd 1914, bu dadl, ac iddi gryn ddyfnder, rhyngddo ac un a'i galwai'i hun yn 'Oxonian'. Pan daniodd hwnnw am y waith gyntaf, ei bwnc oedd fod y Rhyfel Byd Cyntaf yn un sanctaidd.[23] Erbyn diwedd Medi, roedd Puleston ei hun o dan yr ordd. Yr hyn a gododd wrychyn 'Oxonian' oedd barn Puleston nad oedd gwir alw am ragor o filwyr:

> Faint o chwarelwyr Arfon ac Eifion sydd wedi ateb yr alwad i ymrestru? Faint o amaethwyr Lleyn? Cydnabyddir fod gwaith yn ardaloedd Bethesda, Llanberis, a Nantlle yn brin. Nid oes fawr o ofyn am y llechi. Hawdd felly hebgor lliaws o'r dynion. Oni ellid yn hawdd gael mil o wyr ieuainc o'r ardaloedd

> hyn i ymrestru? Gellid yn ddiau . . . A phwy geir i wneud apel attynt yn well na gweinidogion Cymru?[24]

Yn ei gyfraniad olaf, 20 Tachwedd, mae'n cydnabod fod dadlau gyda Puleston yn ei gyfyngu, 'Mae dadleu ag ef sydd ŵr mor radlon ei ysbryd yn fendith i ddyn, canys gorfodir ei wrthwynebydd hefyd i gadw ei dymer neu brofi ei hun yn llai na dyn.'

Yn ei sêl o blaid y Rhyfel, aeth y llenor a'r ysgolhaig ati i lunio ac argraffu taflenni recriwtio yn y Gymraeg.

RHWNG FFRINDIAU, FEL PETAI

Mewn papurau newydd y bu'r dadlau rhyngddo â rhai o'i ffrindiau agosaf. Y wasg, hefyd, oedd prif gyfrwng yr Athro John Morris-Jones. Yn niwedd 1915, ac yntau'n Athro'r Gymraeg ym Mangor, trefnodd gystadleuaeth agored, yn y naill iaith neu'r llall, i lunio cerdd am yr alwad i'r gad gyda gwobr o £5 i'r buddugol. Derbyniwyd 92 o gerddi Saesneg a 64 o rai Cymraeg ond y safon, mae'n debyg, yn bur isel.[25]

Yn nes ymlaen, a'r rhyfela drosodd, roedd Puleston a John Morris-Jones i danio ergyd am ergyd ar dudalennau'r *Brython*. I ddechrau Puleston yn datgan, ymhlith pethau eraill 'fod y rhyfela wedi bod yn ynfydrwydd'.[26] Yna'r golygydd yn anfon at Syr John i ofyn am ei ymateb. Roedd hwnnw 'wedi bod o dan y ffliw, fel llawer un arall' bryd hynny, ond wedi gwella'n ddigon i gydio yn ei bensel blwm. A chaed ymateb cadarn:

> Dyma ni wyneb yn wyneb â'r digwyddiad mwyaf yn hanes yr oesoedd diweddar, a dyna sydd gan fy

> nghyfaill i'w ddywedyd amdano. Trechwyd ymgais unbennaeth a militariaeth i gael y byd dan eu traed rhoes y Nef i ni fuddugoliaeth lwyr a gorthrechol ar yr annuwiaeth greulonaf a mwyaf dychrynllyd a welodd y byd; ac yng ngwydd mawr weithredoedd Duw nid oes gan y Parchedig John Puleston Jones ond mwmlian shibbolethau pleidiaeth y dyddiau a fu . . . Y mae caredigrwydd a hynawsedd yn iawn ond nid at lofrudd yn y weithred o lofruddio. Nid gwên fwyn yw'r offeryn at fwystfil cynddeiriog, ond dryll. Ei saethu sydd raid.[27]

Ar drothwy Nadolig 1918 mae Puleston yn tanio'i ergyd olaf, trwy ymateb yn goeglyd braidd:

> Mi ddadleuais dipyn o bryd i bryd a Syr John, ar ddiwinyddiaeth y rhan amlaf; a phob amser braidd myfi fyddai'r orthodox a'm cyfaill fyddai'r heretic. Ond heddyw dyma ni wedi cyfnewid swyddi, efo yn orthodox ddychrynllyd, a minnau yn heretic. Efo gynt fyddai beunydd a byth yn cwyno fod yr hen ddiwinyddiaeth yn rhy ddeddfol ac yn rhy gul. Yn awr dyma yntau yn amddiffyn y cyfiawnder cosbawl hwnnw y soniai'n tadau ni gymaint amdano, ac yn siarad fel un a gymerai'n ganiataol fod cyfiawnder yn uwch na chariad, a grym yn gryfach na gras.[28]

BYDDECH YN TAERU EI FOD YN GWELD

Wrth loffa drwy'r deunydd sydd ar gael am Puleston, un sylw a fyddai'n dod i'r wyneb drachefn a thrachefn – er i'r ieithwedd amrywio – oedd ei fod *yn* gweld. Gan y byddai yn ymddwyn mor naturiol ar aelwyd, yn fynych iawn derbyniai gannwyll wedi ei goleuo i fynd i'w lofft. Ei arfer, yn ôl y teulu, fyddai ei derbyn yn ddiolchgar a'i diffodd ar ôl cyrraedd yr ystafell.

YN DESTUN SIARAD

Ar y dechrau, mae'n bosibl i'w ddallineb agor drysau iddo. Tra oedd yn fyfyriwr yn y Bala daeth y modd yr ymdriniai â'i ddallineb yn destun siarad, ac yn gymorth i ddenu cynulleidfa:

> Ar ddechrau ei yrfa gyhoeddus âi llawer i'w wrando o gywreinrwydd, a siaradent amdano fel 'y pregethwr

PARCH. J. PULESTON JONES, M.A.

> dall'. Ef oedd y pregethwr cyntaf erioed a welsant yn teimlo'r amser ac yn darllen â'i fysedd. Rhyfeddent ato yn medru adrodd yr emynau a'u rhif allan o'i gof. Naturiol oedd i blant yn arbennig gymryd diddordeb ynddo.[1]

Yn haf 1884, pan gafodd y gwahoddiad hwnnw i gynnal cyfarfod pregethu yng nghapel Seilo, Caernarfon, ac yntau yn ddim ond myfyriwr, anfonwyd crïwr o gwmpas y dref i gyhoeddi oedfaon y Sul. Yn ystod un o'r oedfaon hynny manteisiwyd ar ddallineb Puleston i greu math o gimig: gŵr dall oedd y crïwr, gŵr dall oedd yn arwain y gwasanaeth dechreuol a gŵr dall, wrth gwrs, oedd y pregethwr.

Ar 11 Medi 1878, yng Nglofa Tywysog Cymru, Abercarn, collodd 268 o lowyr eu bywydau.

DEWRDER NEU RYFYG

Roedd ei ddewrder yn anhygoel. 'The Welsh Fawcett down a Coalpit' oedd un o benawdau'r *South Wales Daily News* fore Gwener, 9 Mehefin 1893. Ar y pryd roedd Puleston, a ddisgrifid fel 'preacher and litterateur', ar daith bregethu a darlithio yn Aber-carn lle bu tanchwa enbyd. Mynnodd yntau gael mynd i lawr i berfedd y ddaear i'r man y bu'r ffrwydrad.[2]

Yn ystod blynyddoedd Dinorwig aeth rhai o'i gampau yn rhan o chwedloniaeth y fro, yn cerdded neu'n gyrru merlyn a thrap ar hyd llwybrau ceimion ac uwchben dyfnderoedd enbyd. Bu'r crwydro ar drenau ledled Prydain, a'r tramwy wedyn ar hyd strydoedd, trefi a dinasoedd mawrion, yn llawn cymaint gorchest. Dringai i ben yr Wyddfa yn gyson a threfnu i fynd ag eraill i'w ganlyn. Anodd coelio, hwyrach, ond âi yno, meddai, i *weld* yr haul yn codi. Pan ofynnodd unwaith i gyfaill ddisgrifio iddo beth yn union a welai yr ateb a gafodd oedd fod yr haul yn debyg i blât cinio, a hwnnw yn mynd yn fwy o hyd wrth syllu arno.

Ar brydiau, fe ymddengys fel petai fod gorchfygu ei anabledd yn destun balchder ac ymffrost iddo. Ond 'pell iawn ydoedd oddi wrth unrhyw ymffrost yn yr oruchafiaeth,' yn ôl ei gofiannydd.

Cof cyntaf ei ferch amdano oedd ei thad yn mynd â hi, yn bedair neu bump oed, ar y trên o Ddinorwig i gartref ei thaid a'i nain yn Arenig heb neb arall yn gwmni i'r ddau. Soniodd ei ferch, hefyd, fel y byddai ei thad wrth ddanfon rhywun i ffwrdd gyda'r trên yn arfer 'rhedeg wrth ochr y trên ar ôl iddo gychwyn, gan roddi braw i bawb, ond chwarddai ef ei hun.'[3]

Mewn rhifyn o'r *Genedl*, yn union wedi marw Puleston, ceir stori am ryfyg mwy fyth ddwedwn i; rhyfyg, wrth gwrs, i'r sawl oedd â llygaid i weld y perygl – a doedd y gallu hwnnw ddim gan Puleston:

> Pan oedd mewn gofalaeth fugeiliol mewn un lle yr oeddynt o dan yr angenrheidrwydd i wneud cyfnewidiadau mewnol yn y capel. [Dinorwig oedd y capel hwnnw.] Rhaid oedd rhoddi ysgaffaldiau i gyrraedd y nenfwd. Ofnai dynion oedd a'u golwg ganddynt fyned yn agos atynt, ond mynnai ef gael dringo i'w pennau, a hynny a wnaeth gyda beiddgarwch oedd yn creu arswyd ar y rhai oedd yn edrych arno. Symudodd o'r naill blanc i'r llall ac esbonio ac egluro yr anghenion a'r gwahaniaethau cystal a'r dyn oedd yn gwneud y gwaith.[4]

Coelier neu beidio, to'r capel oedd wedi disgyn a Puleston yn dal ar y cyfle i gael teimlo'r 'gwynt-ddorau' a'r 'seren' a oedd ar y to gan symud yn heini o blanc i blanc.

LLAWEN FYW

Yn ystod ei oes, crëwyd yr argraff mai gŵr cyson lawen oedd Puleston a'i ddallineb heb fod yn boen yn y byd iddo. Ar dro, ategwyd hynny gan ei blant. Meddai ei ferch, 'Yr wyf yn sicr na theimlodd ar hyd ei oes fod ei ddallineb yn rhwystr iddo.' Roedd ei brawd wedi taro nodyn digon tebyg mewn nodiadau a anfonodd at ei frawd yng nghyfraith pan oedd hwnnw yn paratoi'r cofiant, 'Pe gofynnid i mi grynhoi mewn

Puleston ei hun a naddodd
ei enw ar y darn llechen

un gair ein hargraffiadau ohono ar yr aelwyd efallai mai'r gair hwnnw a fyddai heulwen.' Arall, fodd bynnag, oedd barn awdur y cofiant, 'Prin y bu'r un diwrnod o'i oes na theimlai oddi wrth golli ei olwg, ond tewi a wnâi ar y pwnc hwnnw. Cariai ei groes drom ar hyd ei yrfa heb gŵyno unwaith; yn wir fe ganai odditani.'[5]

Ceir digon o enghreifftiau ohono yn llwyddo i chwerthin am ben ambell lyffethair. Un stori a groniclwyd gan ei gofiannydd – ac a ailgylchwyd, sawl tro, gan eraill mewn ysgrifau – oedd honno amdano yn teithio mewn cerbyd, a'r ceffyl a'i tynnai gydag un llygad yn unig, y gyrrwr yr un modd yn union, ac yntau, Puleston, heb yr un! Ei frawddeg glo, bob tro, fyddai, 'Mi gyrhaeddon ni ben y daith yn gysurus, er yr anghaffael i gyd.'

Wedi marw Puleston, cyhoeddodd Bodvan, y gweinidog a'r geiriadurwr, stori nid yn gymaint am y dall yn tywys y dall, ond am y dall a'r byddar yn tywys ei gilydd:

> Wedi i mi golli fy nghlyw y deuthum i gyffyrddiad mor agos ag ef, a phurion sylwi nad wyf yn meddwl y trawodd i'w feddwl fod ei ddallineb ef na'm byddardod innau yr un rhwystr i ni gael hwyl gyda'n gilydd. Yr oeddwn wedi dod erbyn hynny i fedru clywed gyda'r corn, ac yr oedd yntau mor groyw ei ymadrodd, ac mor berffaith ei amynedd, fel na theimlasom nemor anghyfleustra drwy amddifadrwydd ein gilydd. Gallasai sgwrsio yn y corn a cherdded yr un pryd . . . [6]

Barn E. Morgan Humphreys yn ei bortread ohono oedd iddo 'gael y llaw uchaf ar y dallineb' ond iddo etifeddu un anfantais fawr:

> Ond yr oedd o dan anfantais neilltuol wrth drin pobl, – nid oedd yn gweld wynebau y rhai y siaradai â hwynt, a gwyddom oll fod wyneb y sawl y siaradwn ag ef yn dweud llawn cymaint wrthym a'i eiriau . . . Y mae'n debyg ei fod wedi sathru ar gyrn rhai pobl heb feddwl ac heb wybod eu bod wedi teimlo o gwbl.[7]

Fe dybiwn i y byddai'r gwrthwyneb yr un mor wir: fod methu gweld wynebau cuchiog neu fygythiol yn fanteisiol.

YN GWELD LLAIS A CHLYWED LLUN

Wn i ddim a oedd ei glyw yn feinach ai peidio; yn gyffredinol, dyna'r dybiaeth am ddeillion. Wrth bregethu neu ddarlithio, gallai glywed 'ymddiddanion a sibrydion yn y seti', un yn tynnu watsh o'i boced neu'n troi tudalennau llyfr. Gallai, mae'n debyg, ddod o hyd i wahanol siopau oddi wrth arogli eu cynnyrch. Cyn belled ag yr oedd teimlo yn y cwestiwn, dibynnai ar hynny i adnabod pethau wrth eu cyffwrdd, ac i ddarllen ei lyfrau Braille. Afraid sôn am gymorth y dychymyg, wedyn, gan fod yr hyn a ysgrifennodd yn profi'n ddigamsyniol fod ganddo fwy o'r synnwyr hwnnw na'r cyffredin.

Roedd ei gyffyrddiad mor deimladwy, meddid, fel y gallai ddarllen Braille drwy ddwy neu dair o gadachau poced petai yna alw am hynny.

Wrth gwrs, bu ei allu anhygoel i gofio yn gymorth mawr iddo, o bosibl yn fwy na bron yr un gallu arall – cofio lleisiau yn arbennig. Glynodd y ddawn honno wrtho gydol oes ac o bosibl fe gryfhaodd gyda'r blynyddoedd. Dethol stori neu ddwy oedd yn angenrheidiol i mi i brofi ei feistrolaeth:

> Yn 1920, a minnau yn fyfyriwr yn Aberystwyth, euthum i wrando ar y gŵr cwbl ddall rhyfeddol hwn yn annerch. Ar ôl y cyfarfod, siaradai â nifer o'r myfyrwyr a chefais innau yn fy nhro fy nghyflwyno iddo. Gofynnodd imi o ba le y deuwn, ac wedi i mi ei ateb, meddai, 'Fachgen, yr ydych yn dal iawn.' Gwyddai hynny, mae'n debyg, oherwydd lefel fy llais. Daeth eraill i'w gyfarch, a dyna yr unig eiriau a fu rhyngom. Wrth gwrs, yr oedd y cyflwynydd wedi dweud fy enw wrtho. Rhyw ddwy neu dair blynedd yn ddiweddarach, yr oeddwn yn teithio yn y trên o Aberystwyth i gyfeiriad Abermo ac wedi newid yng nghyffordd Glandyfi i'r trên a arhosai i'n dwyn i gyfeirad y gogledd, eisteddwn ar fy mhen fy hun wrth y ffenestr, a thoc dyma'r gorsaf-feistr yn hebrwng ar dipyn o frys ŵr dall a hwnnw – Puleston Jones, wrth gwrs – yn eistedd gyferbyn a mi. Cychwynnodd y trên a chyn i mi gael cyfle i'w gyfarch, gofynnodd yn gwrtais, 'Maddeuwch i mi, a ellwch ddweud wrthyf pa lythyren a nodir uwch ben y drws?' 'Siŵr iawn,' meddwn innau, 'y llythyren C.' 'A,' ebr yntau'n gwenu'n siriol, 'Iorwerth Peate yw fy nghyd-deithiwr.'[8]

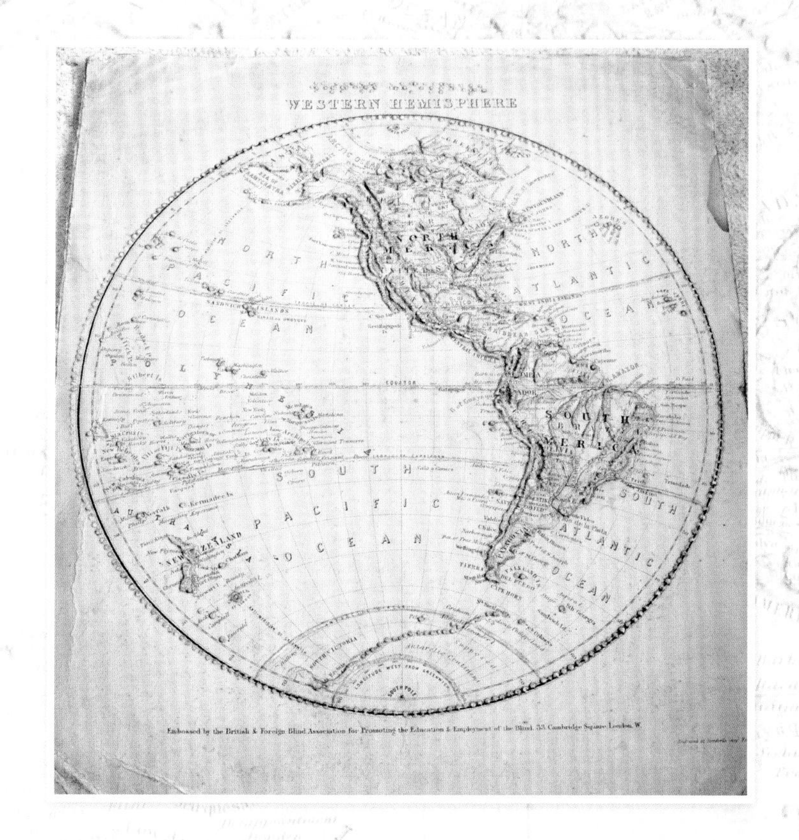

Map boglynnog, *embossed*, i Puleston gael teimlo'r byd â'i fysedd.

Stori anhygoel, a fy ffefryn i, ydi honno am hen athro iddo yn ysgol Tŷ Tan Domen, George Taylor, yn galw heibio iddo ar antur. Roedd Taylor ar ei ffordd o Kirkby Fields yng nghyffiniau Caerlŷr (Leicester) – lle trigai erbyn hynny – i Aber-soch ar ei wyliau. Wrth grwydro Pwllheli gwelodd enw Puleston ar ryw boster neu hysbysfwrdd. Aeth i feddwl ai hwn tybed oedd y bachgen dall hwnnw y bu'n ei ddysgu ddeugain mlynedd ynghynt a phenderfynodd ymchwilio:

Daeth o hyd i'w dŷ, a gofynnodd am ŵr y tŷ. Arweiniwyd ef i'r ystafell eistedd, a daeth Puleston ato. 'John, do you remember me?' gofynnai Taylor. 'Well, I seem to remember the voice,' meddai Puleston. Symudodd yr hen athro ei gadair yn nes ato, a rhoddodd ei fraich ddehau dros ysgwydd Puleston fel yr arferai wneuthur wrth y ddesg yn ysgol y Bala. 'Why! It's Mr.Taylor,' meddai Puleston ar unwaith. 'O! I am so pleased to see you.' Cawsant ymgom felys am y dyddiau gynt, ac aeth â'i hen athro i'w ardd i fwynhau'r blodau.[9]

Dywedai fod ganddo, yn ei feddwl, fap boglynnog o'r dirwedd yn rhoi syniad iddo am fynydd a dyffryn, ffordd a rheilffordd gan ei gywiro'n gyson ac yn ychwanegu ato yn ôl y gofyn.

Gallai gofio lleoedd hefyd gyda'r un craffter: boed y lle, ar y pryd, yn gefn gwlad Maldwyn, llechweddau Arfon neu'r trefi a'r dinasoedd y bu'n crwydro eu strydoedd.

Wedi priodi, bu Nel, y forwyn ym Mhwllheli, yn byw am gyfnod yn Lerpwl. Rhoddodd enghraifft ddiddorol o alluoedd Puleston i gofio man a lle – lleoedd, wrth gwrs, nas gwelodd erioed – a hynny wedi cyfnod o amser:

> Cofiaf yn dda fyned gydag o i'r siop yn Whitechapel lle'r arferai brynu twls at ei weithdy. Y funud yr aeth o mewn, teimlwn fod rhywbeth wedi ei daro. Wedi cyfarch y sawl oedd y tu ôl i'r cownter meddai, 'Tell me what have you changed since I was here twelve months ago?' Am eiliad methai'r gwas a chofio fod dim wedi ei newid. Ond, meddai o'r diwedd, 'You are quite right Sir, we have re-arranged our counters.'[10]

ATSAINLEOLI

Ceir enghreifftiau ddigon o Puleston yn medru amgyffred maint adeilad neu faint cynulleidfa, agosrwydd neu bellter pobl neu bethau a fyddai o'i gwmpas - boed hynny oddi mewn i adeilad neu yn yr awyr agored. Gwnâi hynny wrth ddehongli'r atseiniau, yr eco, a ddeuai yn ôl ato. Ceir sawl enghraifft ohono'n rhoi'r ecoleoli ar waith.

Atsainleoli dynol ydi gallu pobl i ganfod gwrthrychau yn eu hamgylchedd drwy synhwyro'r atseiniau; greddf sy'n gynefin i ddyn ac anifail.

Bellach, mae atsainleoli, *echolocation*, yn wyddor y bu cryn ymchwil iddi. Drwy dapio â'i gansen, clicio'i fysedd neu wneud sŵn tebyg â'i geg, gall y dall leoli man neu beth. (Defnyddir yr un ddawn gan rywogaethau megis ystlumod.) Fel y dengys sawl enghraifft, mae'n amlwg i mi fod Puleston yn dibynnu yn fawr iawn ar y synnwyr hwnnw. Yn wir, defnyddiai Puleston yr ymadrodd 'gweld trwy glywed' gan ddweud 'y gallai glywed presenoldeb cadair neu fwrdd.' I roi un esiampl arall, a cheffyl eto â rhan yn y stori:

> Yr oedd i bregethu yn Nefyn un Saboth braf ym mis Awst, ac aeth car i'w ddanfon o Bwllheli i bont Tacho Ddu. Gorchmynnodd i'r cerbydwr droi'n ôl oddiyno gan fod digon o amser ganddo i gyrraedd pen ei daith ar draed. Ond yng nghroesffordd Bryncynan anghofiodd droi ar y dde. A'r esboniad a roddai ef ar ei ddryswch oedd bod ceffyl yn sefyll ar y groesffordd honno ac i hwnnw rwystro'r eco.[11]

I mi, mae Ethan Loch, plentyn ysgol o Bonnybridge, ger Falkirk – a fu'n ddall o'i enedigaeth – yn fath o ailbobiad o

Puelston a'i wraig, a'r ddau wedi heneiddio peth.

Puleston yn blentyn. Yn Chwefror 2015, yn ddeg oed, cafodd Ethan ei dderbyn yn ddisgybl yn Ysgol Gerdd enwog y Santes Fair yng Nghaeredin a hynny, yn unig, ar sail ei ddawn anghyffredin fel pianydd. I'w gynorthwyo i allu ffeindio'i ffordd mewn dinas brysur daeth un dall arall, Daniel Kish, Americanwr, drosodd i'w hyfforddi mewn atsainleolaeth. Dyna ydi maes Kish ac mae, bellach, wedi hyfforddi miloedd. Meddai Ethan, wedi deufis o gwrs: 'Dydw i ddim, bellach, yn cerdded oddi amgylch yn ddall.'[12]

Rhagoriaeth Puleston oedd iddo feistroli'r ddawn, cyn belled ag y gwn i, heb unrhyw hyfforddiant penodol. Oherwydd ei ddibyniaeth ar y ddawn, dau rwystr mawr iddo oedd gwynt ac eira; y ddau fel ei gilydd, wrth gwrs, yn atal pob eco. Cofiai ei ferch amdano, wedi iddi briodi, yn mynd i weld ei chartref newydd yng Nghaergybi. Byddai hynny ychydig amser cyn ei farw. Clywodd sŵn y gwynt o'r môr a dweud, 'Mi rydw i fel mochyn, tydw i ddim yn lecio gwynt.'[13]

'Mi wn i fy mod i'n ddall ond rydw i yn *gweld* mewn ffordd wahanol.': Ethan Lock.

CWMWL AR Y GORWEL

Er y gwn i mai diduedd, os nad dideimlad, y dylai awdur fod wrth ysgrifennu portread neu gofiant, i mi - a fu yng nghwmni Puleston gyhyd yn fy nychymyg - bu'r bennod hon yn un anodd i'w hysgrifennu. Hyd nes gadael ei 60 oed cafodd Puleston, ar wahân i'r teiffoid hwnnw a'i blinodd yng Nghaerwrangon yn 20 oed, flynyddoedd o iechyd da. Bu'n pregethu am 40 mlynedd heb golli'r un Sul.

Yna, yn nechrau'r flwyddyn 1923, ac yntau ar gyrraedd ei ben-blwydd yn 61, dechreuodd gwyno ac aeth i ymgynghori gyda'i feddyg yn y Trallwng. Wrth gwrs, er gwell neu er gwaeth, ni fedrai Puleston weld y dirywiad yn ei wedd, ond pan gyrhaeddodd Lerpwl i'r Gymanfa Gyffredinol, ym mis Mai, gwaeledd amlwg Puleston oedd ar dafod pawb. Gweinidog, a chyd-heddychwr ag o, D. Francis Roberts, a oedd yn bugeilio eglwys Gymraeg Fitzclarence ar y pryd, a'i perswadiodd i chwilio am gymorth a'i roi mewn cysylltiad ag

Bryd hynny roedd Lerpwl, gyda'r holl feddygfeydd ac arbenigwyr meddygol a oedd yno, yn gyrchfan i gleifion gogledd Cymru a thu hwnt, gyda Rodney Street yn fath o ail Harley Street.

arbenigwyr.[1] Byddai nifer dda o'r meddygon â chysylltiad â'r capeli Cymraeg ac, o'r herwydd, naill ai yn adnabod Puleston neu o leiaf yn gwybod amdano. Dau arbenigwr o'r fath a fu'n eithriadol garedig wrtho, ac yn fawr eu consýrn amdano, oedd Dr T. E. Jones a Dr D. R. Evans.[2]

Bu'r ddau yn gohebu gyda'r teulu am gyfnod hir, yn ateb eu hymholiadau, yn egluro'r amgylchiadau iddyn nhw ac yn cynnig cynghorion. I ddyfynnu ei fab yng nghyfraith, yn y cofiant, 'Bu'r meddygon yn eithriadol o dirion wrtho; treulient oriau yn ei gwmni ac edmygent ei arwriaeth o dan ei boenau.'

Ar 21 Mehefin 1923 anfonodd Myfanwy neges bryderus at ei brawd, Alun, yn amgáu llythyr a anfonodd Dr Evans at ei mam – llythyr yn cynnwys y *diagnosis* – ond gan ofyn i Alun, wedi iddo ei ddarllen, ei ddychwelyd.

> Tada has sent to say that he will go to a Nursing Home on Monday or Tuesday if they can find room. Poor mother has been terribly upset and is crying all the time, I am doing my best to console her that by Tada going in time he stands a chance of a good recovery. You must cheer her up the same Alun when you write. Of course mother worries where the money is to come from but I was telling her you would be most willing to help at a time like this. I feel we must do everything in our power to get Tada well again.[3]

Nos Sul, 8 Gorffennaf 1923, wedi bod mewn oedfa gymun yn Catherine Street, aeth Puleston i gwrdd â rhai o'r meddygon ac i gael eu dyfarniad. Cyngor yr arbenigwyr iddo oedd osgoi llawdriniaeth a chymryd o leiaf dri mis o seibiant. Yn ystod y tri mis o segurdod gorfodol bu Puleston yn fwy na phrysur. Er enghraifft, paratôdd nodiadau ysgolheigaidd ar gyfer y *Geiriadur Beiblaidd*.[4] Er mai 'J. Puleston Jones' sydd ar ddiwedd y ddau gyfraniad, mae'n sicr mai ei wraig – a hithau yn fawr ei phryder ar y pryd – fu'n ymchwilio ar ei ran yn ogystal â chywiro'i deipysgrif a'r proflenni.

Yn ogystal, paratôdd Puleston Lyfr Daniel i'w argraffu mewn teip Moon Cymraeg a chywiro'r proflenni. Am a wn i, Puleston, nid Annie, a fyddai'n abl i wneud y cywiro hwnnw. Cyn hir aeth ati, yn achlysurol, i annerch a phregethu fel o'r blaen yn ogystal â dal ati gyda'i waith saer. Dyma fel yr ysgrifennodd at Alun yn Rhagfyr 1923: 'Am y cwestiwn o dwlsyn, a oes modd cael llif gron fechan, heb fynd i arian mawr, rhywbeth yn gweithio ar yr un egwyddor a llif gron fawr, ond heb fod dros wyth neu naw modfedd o dryfesur?'

Yn niwedd 1922 penodwyd Alun yn ddarlithydd mewn 'Physics ac Electrical Engineering' yng Ngholeg Technegol Sunderland a'i gyflog, yn ôl *Y Cymro*, 22 Rhagfyr 1920, yn 'cychwyn gyda £325'.

TRI PHROFIAD

Serch y cwmwl ar y gorwel, neu yn sgil hynny, roedd yna rai o brofiadau mawr ei fywyd ar gerdded i'w gyfarfod. O glywed am ei helynt, gwreiddiodd y syniad o gyflwyno tysteb iddo. Mewn Sasiwn a gyfarfu ym Manceinion yn nechrau Tachwedd 1923 y gwnaed y penderfyniad.

Etholwyd swyddogion a phenderfynu manteisio ar y gyfundrefn enwadol a'r wasg yng Nghymru i hyrwyddo apêl ariannol. Penderfynodd o leiaf saith papur newydd roi cyhoeddusrwydd i'r apêl, a chyhoeddi rhestrau o'r cyfraniadau o hynny hyd ganol Rhagfyr.[5] Yn y llythyr apêl a aeth allan yn enw'r Gymdeithasfa cafodd Puleston ei ddisgrifio fel 'pregethwr, darlithydd, athronydd, diwinydd, a llenor'. Wn i ddim a restrwyd y rhinweddau yn ôl blaenoriaeth ai peidio.

Diogelodd y teulu enwau'r cyfranwyr, eu cyfeiriadau a'u cyfraniadau ynghyd â thoriadau di-ri o wahanol bapurau newydd – heb nodi, bob tro, enw'r papur.

> Cyhoeddwyd trwy y wasg enwau 1600 o danysgrifwyr; yr oedd dros gant o fân-symiau heb enwau; anfonodd 64 o eglwysi gyfansymiau yn unig; a daeth £100 o Lundain heb enwau. Amcangyfrifir fod 2,500 wedi tanysgrifio i'r Gronfa, ac yn eu plith rhai yn perthyn i bob oed a chymdeithas. Derbyniwyd tanysgrifiad o brif-ddinas Ysgotland, o brif-ddinas Ffrainc, ac o un o ddinasoedd Califfornia, ar lan y Tawelfor pell.[6]

Yng nghapel Seion, Croesoswallt, yng nghylch Henaduriaeth Trefaldwyn Isaf – a Puleston yn dechrau ei dymor yn llywydd yr Henaduriaeth honno – y bu'r cyflwyno, a hynny ddydd Iau, 24 Ionawr 1924. Serch afiechyd Puleston, bu'n gyfarfod diddan ac yn hwb iddo yn ei wendid. Wrth godi i gyflwyno'r rhodd, i ysgafnhau pethau hwyrach, trawodd Thomas Charles

Williams, Porthaethwy, nodyn direidus: chwarae ar y gair 'Balliol', y coleg lle bu Puleston, a 'Belial' y Beibl, sef y diafol. Yna, â'r gynulleidfa ar ei thraed, fe'i disgrifiodd fel 'un o anwyliaid galluocaf y genedl' a chyflwyno iddo siec am, £1,200.[7]

Wrth gydnabod derbyn y fath swm, cymysgu'r llon a'r dwys wnaeth Puleston hefyd; y llon, fe ddichon, rhag i'r dwyster a deimlai ei lethu:

> Nid oedd angen iddo ddywedyd ei fod yn wir ddiolchgar i'r Cyfundeb, a chan droi at Mrs Puleston Jones, meddai, 'Ac y mae Annie'n ddiolchgar iawn hefyd.' Deallai erbyn hyn paham y galwyd ei briod i'r cyfarfod – er mwyn bod yn sicr y byddai yno un yn siŵr o goelio popeth a ddywedid amdano ef. Yna dywedodd stori am wraig Capt. Lloyd, Dublin, y pregethwr lleol yn dweud wrth ei gŵr ar ôl pob oedfa, 'Mae'n gystal gen i'ch clywed chwi wrthi â'r un ohonyn nhw.' ... 'Yr wyf yn teimlo'n falch fy mod wedi cael mynd yn hen. Os oes eto gan fy Nhad Nefol waith i mi i'w wneud, yr ydw i'n siwr o gael mendio, ond mi hyderaf y byddaf yn cyflawni yn deilyngach o'r ymddiried, er mor annheilwng ydwyf.'[8]

Y digwyddiad mawr arall, ond ar lefel fwy personol, oedd priodas ei ferch, Myfanwy, ddydd Iau, 27 Mawrth 1924, ym Moreia, Llanfair Caereinion. Gan y gwyddai mor frau oedd ei iechyd, a'r berthynas eithriadol glòs rhyngddo â 'Fanwy'

I rai bu teithio yno yn anodd oherwydd ddechrau'r wythnos aeth cynifer â 60,000 o weithwyr rheilffyrdd ar streic. Serch afiechyd Puleston, bu'n gyfarfod diddan ac yn hwb iddo yn ei wendid.

– ac roedd hi *yn* gannwyll ei lygaid – rwy'n tybio y byddai'r amgylchiad yn un emosiynol iawn iddo. Eto, mewn ffordd ddiffwdan yr anfonodd hanes y dydd at Alun, y mab – a oedd felly'n absennol: 'Aeth y briodas heibio ddoe gyda mesur o urddas a phob difyrrwch a hwylustod. Ymollyngai Myfanwy i ganu gyda'r gynulleidfa; ac o fab, yr oedd Richard yntau yn bur hunanfeddiannol.' Roedd hi'n briodas deuluol mewn ystyr arall hefyd: Puleston oedd yn gweinyddu ac yn cael ei gynorthwyo gan J. T. Alun Jones, Cofrestrydd a Llyfrgellydd Coleg y Bala, ei frawd yng nghyfraith, a D. Ward Williams, Abergele, gŵr ei chwaer.

Myfanwy Puleston a Richard W. Jones ar achlysur eu priodas, 27 Mawrth 1924, a rhyw gymaint o syndod yn eu gwedd. Diau fod gwaeledd Puleston, yr un a'u priododd, ar feddwl y ddau.

Un a aned ym Mhorthmadog oedd Richard William Jones, yr ieuengaf o saith o blant, a fagwyd o dan amgylchiadau anodd ac a ymdrechodd i gael addysg. Roedd o rai blynyddoedd yn hŷn na'r briodferch. Erbyn y briodas, roedd y priodfab yn bugeilio eglwys Hyfrydle, Caergybi, a'i 700 o aelodau, yn gyn-athro, yn ysgolhaig a llenor ac, wrth gwrs, byddai'n awdur cofiant i'w dad yng nghyfraith ymhen pum mlynedd.

Y trydydd digwyddiad cofiadwy i Puleston oedd cael gradd Doethur mewn Diwinyddiaeth gan Brifysgol Cymru. Roedd y seremoni i'w chynnal ym Mangor, 17 Gorffennaf, ond fel y dynesai'r amser cododd amheuaeth a fedrai fod yn bresennol oherwydd y dirywiad yng nghyflwr ei iechyd.

Ddechrau'r wythnos olaf ym Mehefin, aeth i Gaergybi i'r Gymanfa Gyffredinol lle disgwylid iddo bregethu ddwywaith ac aeth pethau'n gyfyng arno:

> Trefnasid ef i bregethu yn y Babell [oedd yn dal 5,000] am hanner awr wedi pump nos Iau ac ni feiddiai neb awgrymu wrtho am iddo roi'r bwriad i fyny. Wedi gorffwys trwy'r dydd, cododd ryw awr cyn yr oedfa yn benderfynol o bregethu. Caed cerbyd at ddrws y Babell lle'r oedd tyrfa fawr ac esgynlawr lwythog . . . Cafodd nerth gwyrthiol i draddodi ar y ddau ben cyntaf, ond gyda iddo gyrraedd y trydydd sylw yr oedd yn amlwg fod ei nerth yn pallu. Arafai, gwyrai ei ben, siglai ar ei draed, ac ymddangosai fel pe ar fin syrthio yn wysg ei gefn. Estynnwyd cadair iddo, a rhoddodd y Dr. Thomas Williams emyn i'w ganu – 'Mae'r gwaed a redodd ar y groes.' . . . Y funud y distawodd y canu, cododd yn sydyn, adenillodd ei nerth, ac mewn llais iach, â'r wên anfarwol honno ar ei wyneb, dywedodd, 'Mi leiciwn i orffen y tipyn cyngor yma'. Chwarddodd y gynulleidfa fawr yn ei dagrau wrth yr hiwmor sanctaidd hwn, a daeth arni awydd curo dwylo. Mynd yn fwy gafaelgar a wnaeth o hynny i'r diwedd.[9]

Serch ei gystudd, y Sul dilynol pregethodd Puleston yng nghapel Disgwylfa, Caergybi.

A hithau'n ddechrau Gorffennaf, aeth i Lerpwl i ymgynghori â'r meddygon a threulio cyfnod yn Ysbyty'r Royal o dan archwiliad. Cafodd daith hwylus a 'phur ddi-boen' yn ôl nodyn a ysgrifennodd at ei fab yng nghyfraith gan ychwanegu fod y 'Doctor yn Lime Street yn fy nisgwyl' ac o gartre'r meddyg, D. R. Evans, yr ysgrifennai.[10] Dyna, hyd y gwn i, ei ymweliad olaf â'r ddinas. Bu cyfaill o feddyg, Dr Huw Roberts, Caernarfon, mor garedig â bwrw golwg ar fy rhan dros y dogfennau sydd ar gael:

> O'r llythyrau yn ei Archif, mae'n amlwg ei fod wedi bod yn aros yn un o ysbytai Lerpwl am brofion yng Ngorffennaf 1924 ac yn fwy na thebyg iddo gael prawf Pelydr X 'Barium meal', prawf eithaf arloesol ar y pryd. Yn anffodus, darganfuwyd fod ganddo gancr yn y stumog, salwch nid anghyffredin yng Ngogledd Cymru yn ystod dechrau'r 20 ganrif. Oherwydd maint y tyfiant doedd dim triniaeth y gellid ei chynnig iddo.

Wrth ddychwelyd, teithiodd o Lerpwl i Abergele, i aros noson gyda'i chwaer, Mary Emily, a llwyddo i gyrraedd Bangor ar gyfer y Seremoni fore trannoeth.

Pan ddechreuodd babi dorri allan i grio, ar adeg amhriodol, gwaeddodd un o'r hogiau, 'Give him a degree!'

Y dydd hwnnw roedd yna 178 o fyfyrwyr yn derbyn eu graddau a naw yn derbyn graddau er anrhydedd. Ei gyfaill o ddyddiau Rhydychen a Chymdeithas Dafydd ap Gwilym, yr Athro Syr John Morris-Jones, oedd yn cyflwyno Puleston. Fe'i disgrifiodd fel 'meddyliwr cryf, a gŵr o farn sicr a gwelediad eang' a'r iaith 'ar ei enau ac yn ei weithiau' yn 'Gymraeg Cymreig'. Ystyriai fod yr hyn a ysgrifennodd 'yn ychwanegiad cyfoethog at lenyddiaeth ddiwinyddol Cymru.'[11]

Ymddangosodd hanes y Seremoni Raddio mewn nifer fawr o bapurau newydd. Y digwyddiadau a gafodd y sylw pennaf oedd cellwair arferol y myfyrwyr ac anrhydeddu Puleston. Fodd bynnag, pan gyflwynwyd Puleston cododd y gynulleidfa ar ei thraed, heb ei chymell, a sefyll yn gwbl dawel. Wedi'r cyflwyno bu curo dwylo am rai munudau a Puleston yn codi'i het i gydnabod y gymeradwyaeth hael.

Ymhlith baich llythyrau a dderbyniodd yn ei longyfarch mae llythyrau oddi wrth ddau o'i feddygon yn Lerpwl, T. E. Jones a D. R. Evans. Nid i'w longyfarch am yr anrhydedd, bellach, ond i fynegi eu llawenydd am iddo gael nerth i gyrraedd yno a llwyddo i ddal pwys a gwres y dydd.

YMDRECHU'R YMDRECH DEG

Yn rhifyn Awst o'r *Treasury* cyhoeddodd ei hen ffrind o ddyddiau Rhydychen, Maurice Griffiths, deyrnged iddo ac ysgrifennodd Puleston ato i ddiolch iddo. Ar y terfyn cyfeiria'n gynnil at ei amgylchiadau ond gan amlygu hefyd fod ei hiwmor, serch popeth, heb gilio:

> Yr wyf yn cael mwy o ddarllen nag a ges erioed, gan na allaf fynd lawer o gwmpas. Yn wir, y mae'r cyfeillion wedi rhoi rhyw gennad i mi dynnu'r bugeilio i lawr i'r minimwm. Digrif gennyf fy ngweld yn dreifio i weld ambell i hen bererin go bell o'r Dreflan. Unwaith cefais fy nghario ar ôl hen bensiynwr o geffyl pymtheg ar hugain oed, wedi bod yn Rhyfel De Affrica.[12]

Puleston ar lwyfan Neuadd P.J. ym Mangor newydd dderbyn ei ddoethuriaeth er anrhydedd a'r gynulleidfa, un gymysg, wedi codi ar ei thraed heb ei chymell.

Ddechrau Hydref ysgrifennodd nodyn byr at ei ferch a'i gŵr, 'diwrnod yn y gwely sy gennyf heddiw, o'r lle'r wyf yn ysgrifennu.' O hynny ymlaen fe'i gorfodid yn aml i dreulio diwrnod cyfan yn ei wely. Eto, daliai ati i fugeilio pobl ac i bregethu – ei ddau gariad cyntaf o ddigon. Yn ystod y mis teithiodd i gynhadledd yn Wrecsam ac ar y Suliau i bregethu i fan mor bell â Chasnewydd ac i gwrdd pregethu yn Aberdâr. Y Sul olaf y pregethodd oddi cartref oedd 9 Tachwedd yng Nghoed-poeth.

> Y Sul hwnnw yr oedd y Dr T. E. Jones, Lerpwl, ar ymweliad â'i deulu yno, a'r Dr D. R. Evans gydag ef yn bwrw'r Sul, a chyda hwy yr arhosai Puleston. Cyfyng fu hi arno yn oedfa'r bore, a thybid unwaith ei fod yn ymollwng yn ŵysg ei gefn, ond ail-gydiodd

ynddi nes gorffen. Yn ei gwrcwd bron y daeth i'r tŷ gan gymaint ei boen, ac yn ei wely y bu hyd oedfa'r hwyr ac ar ei eistedd yn y pulpud y traddododd ei bregeth . . . Addawodd i'r meddygon y peidiai â mynd i Ddinbych nos trannoeth i ddarlithio, a dychwelyd i Lanfair ar ei union.[13]

Yn ystod misoedd olaf 1924, pan aeth i fethu ag ymlwybro fel cynt, daeth gweinidog o'r enw Edward Evans, a oedd yn frawd i'r meddyg D. R. Evans, yno i aros. Gŵr heb ofalon oedd Edward Evans ar y pryd, wedi cael ei orfodi i ymddeol o fod yn weinidog Capel Cymraeg yr enwad yn Boundary Road, Middlesbrough. Wedi dwy flynedd yn Middlesbrough daliodd pwl o iselder ysbryd blin a di-ildio ynddo a threuliodd gyfnod mewn gofal. Oddeutu diwedd 1922 aeth Puleston yno bob cam i geisio'i gysuro.[14]

Dyma'r cyfnod yr ymlafniai i gwblhau cyfrol ar yr Iawn, a methu. O gofio'r pwnc, mae rhywbeth yn drist mewn meddwl amdano yn llunio'r gwaith ac yntau ar ei wely cystudd.

Yn Lerpwl, yng Ngorffennaf 1924, y bu'r tro nesaf i Puleston ac yntau gydgyfarfod; Puleston ar y pryd yn yr ysbyty o dan archwiliad. Mae'n bosibl iddo ddod i Lanfair Caereinion ar awgrym ei frawd, er nad oes prawf o hynny. Ei waith yn bennaf oedd darllen i Puleston ond gwnâi fwy na hynny:

Bum a fo yn Welshpool unwaith. Yr oedd yn reit fodlon i mi wneud pob neges y tro hwn. Mor wahanol y byddai. Gwnai y cwbl ei hun bob amser. Y tro hyn ces fynd i'r Yard goed fy hun. Pe bai ef yn rhyw lun

> o sionc, chawn i ddim mynd fy hun i brynu coed o bopeth. Aethum ag ef i siop y 'barbwr' i dorri ei wallt. Yr oedd y 'barbwr' yn bregethwr cynorthwyol. 'Well how does this new honour agree with you, Mr. Jones,' ebe'r 'barbwr', gan gyfeirio at y 'D. D.' 'Sometime I suffer from a swelled head,' ebe'r Doctor yn ddireidus, a'r un pryd gwyddwn arno ei fod mewn blinder rhy fawr i eistedd o eisiau gorwedd. A phan aethom i'r 'motor car', 'doedd neb ond ni ein dau ynddo, cwympodd yn ddirybudd ar ei wyneb. Ond galwodd ei 'reserves' i fyny mewn eiliad, a dywedodd y byddai yn iawn eto. Daliodd i fynd adref. Ond yr oedd yn methu a symud pan gyrhaeddodd y tŷ. Bu raid gadael iddo ar ei gadair am ryw bum munud i ddod ato ei hun.[15]

Yn ôl y cofiant, pythefnos o amser fu hyd yr ymweliad ond yn ôl Edward Evans ei hun bu yno am fis:

> Bum hefo fo o Dachwedd 13 hyd y Llun cyntaf yn Rhagfyr heb fynd oddiwrtho am gymaint a noson. A dyna'r cyfnod y dechreuodd beidio mynd allan, a thynnu'r gêr, chwedl yntau. Cefais fraint o fod gydag ef yn y pulpud y ddau Sul olaf ond un yn Nhachwedd. Dechreuais yr oedfa iddo yn y cyntaf o'r ddau [wasanaeth] unwaith ond ni chawn wneud rhagor. Y Sul wedyn pwysais am gael pregethu yn ei le y bore, ac ildiodd.[16]

Yn nes ymlaen, ysgrifennodd yn helaeth am Puleston, a'i arwriaeth, gan fanylu - gorfanylu o bosibl - am ei gystudd a'i ddewrder. Cleifion oedd y ddau mewn ystyr. Mae Edward Evans yn cydnabod hynny ac yn talu teyrnged uchel i Puleston am ei gymwynas: 'Teg i mi ddweyd yn y fan hon i fis yn ei gwmni ef wneud mwy o les i mi na blwyddyn hefo'i gilydd yn unlle arall . . . ffeindiodd Dr Puleston Jones y ffordd i dynnu gwaith ohonof, ac i'm torri i mewn o'r newydd i waith y weinidogaeth.'

Mae'n drist meddwl, y gofalwr yn unig a dderbyniodd wellhad. Mae gan Edward Evans ddisgrifiadau ingol o Puleston ar ei wely cystudd. Fe'i gwelodd, sawl tro, ar wastad ei gefn yn ei wely, ei ben ar obennydd gyda'r teipiadur o'i flaen ar stôl ac yn ymdrechu i deipio. Dyma'r cyfnod yr ymlafniai i gwblhau cyfrol ar yr Iawn, a methu â'i chwblhau.

Darllenai Edward Evans ystod eang o lyfrau iddo yn y ddwy iaith, a chywiro proflenni ar ei ran. Ymhlith y llyfrau roedd gweithiau Streeter a George Adam Smith a *Yr Haf a Cherddi Eraill*, R. Williams Parry. Yna, pan ddeuai hi'n fin nos, byddai'r ddau yn darllen y Gair a gweddïo. Teimlai fod ganddo sawl dyled i Puleston, mae'n debyg, a'i fwriad oedd ceisio ad-dalu'r dyledion hynny drwy weini arno.

O hyn ymlaen ceir cryn lythyru rhwng y brawd a'r chwaer. Ddechrau Rhagfyr mae Myfanwy yn ysgrifennu at Alun, ei brawd, i ddweud fod yr ymweliad, erbyn hynny, wedi mynd yn fwy o faich i'w mam nag o gymorth. A hynny oherwydd y paratoi bwyd a oedd yn angenrheidiol. Bedwar diwrnod yn

Alun Puleston,
1892-1981,
gwyddonydd,
meddyliwr a bardd.

ddiweddarach ysgrifennodd Myfanwy lythyr arall at ei brawd gyda'r atodiad, 'Mr E. went yesterday.'

Llythyrau ingol Myfanwy at 'My dearest Alun' sy'n cyfleu yn well na dim bryder y teulu yn ystod Rhagfyr a dechrau Ionawr. Merch newydd briodi oedd hithau, a'r aelwyd newydd yng Nghaergybi yn galw am ei sylw, 'I cant bear going [adref] but Richard is in a *helynt* as the furniture is to arrive this week and he cant manage this himself.' Ac yntau gyda'i waith darlithio yn Sunderland, ni allai weld ei brawd yn dychwelyd yn ddigon buan, 'I dont think you realise how very ill Tada is.'

Ond fe ddaeth ei brawd, a'r noson cyn iddo farw, gyda chymorth Alun, cafodd Puleston wrando recordiad o'r opera

The Marriage of Figaro gan Mozart. Drannoeth, gofynnodd am gael clywed adnodau o'r Datguddiad lle y cyfeirir at nef newydd a daear newydd, 'a marwolaeth ni bydd mwyach, na thristwch, na llefain na phoen ni bydd mwyach: oblegid y pethau cyntaf a aeth heibio.'[17] Yna, ddydd Mercher, 21 Ionawr 1925 – am chwech yr hwyr, yn ôl Edward Evans – bu farw Puleston a hynny fis a phum diwrnod cyn cyrraedd ei benblwydd yn 63 mlwydd oed.

Ei ddymuniad olaf un oedd clywed adnodau o'r Datguddiad yn cael eu darllen.

EI GOFIO, A DAL I'W GOFIO?

O ran chwaeth, roedd byd o wahaniaeth rhwng angladd Puleston – a gynhaliwyd ddydd Llun, 26 Ionawr 1925 – ac un John Williams, Brynsiencyn, bedair blynedd ynghynt. Eto, cerbydau lu a gludodd y galarwyr i ben eu taith yn y ddau ddigwyddiad. Os mai Llanfaes ym Môn, a'r beddrod agosaf at John Elias oedd dewis John Williams, dewis Puleston oedd y Bala lle gorweddai ei fam a'i dad ac amryw byd o'i deulu.

Yn ôl adroddiadau papurau newydd amrywiai'r cyfrif o nifer y ceir oedd yn angladd John Williams o 150 i 250 ond y rhif cywir, yn ôl plisman segur, oedd 207.

Wedi gwasanaeth am naw y bore yn yr Institiwt, Llanfair Caereinion, bu llusgo hir wedyn drwy'r Trallwng a Chroesoswallt, ac i Gorwen, gan gyrraedd y Bala erbyn un o'r gloch. Eto, fel yn angladd John Williams, wrth i'r hers deithio'n weddaidd araf drwy bentrefi a threfi safai galarwyr yn diosg het neu gap – yn ôl eu statws. Mewn sgwrs, dywedodd y Parchedig Gwyndaf Jones, Bangor, fel roedd ei dad ar y pryd yn ddisgybl yn Ysgol Llawrybetws, rhwng Corwen a'r Bala.

Carreg fedd y ddau ym mynwent Eglwys Crist yn y Bala.

Syllai mewn rhyfeddod ar yr angladd yn llusgo heibio pan gafodd orchymyn gan un o'r bechgyn: 'Tyn dy gap, y diawl! I ddangos parch.' 'O enau plant bychain,' fel petai.

Fodd bynnag, yn angladd Puleston does yna ddim cofnod i neb ddringo coeden i gael gwell fiw; y dirwedd, hwyrach, yn gwneud hynny'n ddianghenraid. Meddai'r *British Weekly*, er cael map y daith yn anghywir: 'Thousands of Welsh people stood reverently in the villages and towns through which the cortege passed, and thousands more joined the throng at Bala, where a service typically Welsh was held.'[1]

ANGLADD 'NODWEDDIADOL GYMREIG'

Ymddengys i mi y dewiswyd y rhai a oedd i gymryd rhan yn y capel, naill ai ar sail cyfeillgarwch â Puleston neu eu bod, ar y pryd, yn dal swydd gyfundebol. Talwyd pum teyrnged iddo. Yr unig un o du allan i'r enwad i gael talu gwrogaeth oedd D. Tecwyn Evans, y gweinidog Wesle a'i hanner addolai. Fe'i swynwyd ganddo yn fachgen ifanc pan ddaeth Puleston i gyfarfod pregethu yn Nhalsarnau, Meirionnydd. Fe'i gwahoddwyd i gael te gyda Puleston a dechrau'r oedfa iddo yn yr hwyr.[2]

Llwyddodd Phillip Jones, Pontypridd a Phorthcawl yn ddiweddarach, un o berfformwyr ablaf y pulpud ar y pryd, i gael dweud gair er nad oedd ei enw ar y rhaglen.

Yn ddiamau, fe lefarwyd mil myrdd o eiriau yn yr oedfa gofiadwy honno yng Nghapel Tegid, ond llwyddodd ei gofiannydd i gynilo'r cyfan i hanner can gair, fwy neu lai, a gwneud hynny yn raenus gan osgoi gormodiaith. I ddyfynnu: 'Cyfeiriasant at wroniaeth ac arwriaeth Puleston yn cyrraedd safle uchel o dan anfanteision, ac at yr ysbrydiaeth oedd yn ei hanes i ieuenctid Cymru yn yr Ysgolion a'r Colegau. Yr oeddynt yn unfryd yn eu tystiolaeth iddo fel Cristion mawr, un yr erys ei ddynoliaeth ardderchog yn etifeddiaeth i fywyd y wlad.'[3] Yna, aed â'r arch ar daith fer o'r capel i fynwent Eglwys Crist, lle cynhaliwyd y trydydd gwasanaeth.

Yr unig un i dymheru ychydig ar y ganmoliaeth i Puleston oedd y Parchedig Thomas Charles Williams, Porthaethwy. Fel

Puleston, roedd yntau'n ysgolhaig, gyda gradd o Rydychen a doethuriaeth er anrhydedd o Gaeredin, a'r ddau yn llifeiriol yn y ddwy iaith. Hiwmor er ei fwyn ei hun oedd un Puleston, gan amlaf, ond roedd hiwmor Thomas Charles Williams yn fwy dychanol ac weithiau'n mynd at yr asgwrn.

Ar gwestiwn y Rhyfel Mawr roedd y ddau filltiroedd oddi wrth ei gilydd. Nid hynny, ond ei onestrwydd, mae'n debyg, oedd yn gyfrifol fod ei deyrnged i Puleston yn un fwy cymedrol nag odid un neb arall. Mewn ysgrif goffa ar dudalennau'r *Cymro* yn Ionawr 1925 ystyriai fod dallineb wedi bod yn fantais iddo:

> Yr oedd Puleston ers llawer blwyddyn yn fath o 'sefydliad' yng Nghymru. Golygai hynny fwy na'i fod yn 'bersonoliaeth'. Efe oedd un o *pets* y genedl. Dichon mai am nad oedd yn gweld y bu hyn, fel yr anwylid Ellis Edwards [Prifathro Coleg y Bala ar un cyfnod], yr hwn nad oedd yn clywed. Credaf i Buleston gael llai o'i erlid, ac yn wir o'i feirniadu, nag a fuasai yn dda iddo yn aml, fel i bawb, oherwydd y groes drom hon a gariai. Teimlai pawb os na chai gymeradwyo, mai gwell oedd dweyd dim . . . Ac yr oedd nerth ynddo a ymylai ar ystyfnigrwydd, fel y gwelwyd ynglŷn â'r Rhyfel a rhai o'r Etholiadau.[4]

Serch i Thomas Charles Williams daro nodyn gwahanol i'r gweddill – y gair *pets* yn un coeglyd – diogelwyd y deyrnged hon hefyd gan y teulu.

COFFADAU A THEYRNGEDAU

I mi, does dim sy'n dangos bri'r pregethwr poblogaidd yn hanner cyntaf yr ugeinfed ganrif yn well na'r cawodydd teyrngedau a ymddangosai yn y papurau newydd, a doedd ymadawiad Puleston ddim yn eithriad. Byrdwn pennaf pob rhyw deyrnged oedd ei wyrth yn troi anabledd yn gyfle. O gymharu â John Williams, eto fyth, cafodd ehangach sylw dros y ffin yn Lloegr gyda newyddiaduron uchel-ael megis y *Times* a'r *Guardian* yn ei fawr ganmol; pennawd y *Times* oedd 'The Prince of Welsh Preachers'.

Tebyg ddigon, hefyd, oedd cynnwys y baich llythyrau cydymdeimlad a gyrhaeddodd Brook House yn Llanfair Caereinion. Yn eu plith roedd un o 'Tŷ Coch, Llanfair Pwll', oddi wrth yr Athro Syr John Morris-Jones yn mawr ofidio am ei absenoldeb o'r cynhebrwng. Roedd i ddarlithio ar 'Syr John Rhŷs' yn yr Academi Brydeinig. Yna datgan, 'Ni adawswn i ddim gorchwyl neu fater cyffredin rwystro i mi ddyfod i dalu'r deyrnged olaf i'm hen gyfaill gynt.' Daeth llythyr meithach a chynhesach oddi wrth yr hanesydd, John Edward Lloyd. Gorchwylion a'i cadwodd yntau draw. Anfonodd Ifan ab Owen, ac yntau o dan 'annwyd trwm', air o'r Neuadd Wen yn Llanuwchllyn yn enw ei ddiweddar dad. Daeth un arall oddi wrth Edward Edwards, brawd O. M., a oedd yn Athro Hanes yn y Brifysgol yn Aberystwyth, 'Ni raid i mi ond dweud fod fy nghalon yn gwaedu drosoch, a mi yn un o hen gyfeillion bore ei oes.' Ar ei wyliau yn Nyfnaint roedd E. Morgan Humphreys ac amgaeodd lun o'r gwesty mawreddog lle'r arhosai, The Seascape Hotel, Torquay: 'I have been sent here to rest a while. My wife is with me. Cofion cywir iawn a'n cydymdeimlad llwyraf oddiwrthym ein dau.' Anfonodd Ysgrifennydd Cyffredinol *The National Institute for the Blind* werthfawrogiad o lafur enfawr Puleston yn addasu'r Beibl ar gyfer y deillion. Daeth gair caredig oddi wrth Miss Ben a ofalai amdano yng Nghartref Nyrsio Rodney yn Lerpwl, 'We shall always entertain the highest opinion of him as a gentleman and Christian Minister.'

I mi, y negeseuon cynhesaf o ddigon ydi'r rhai oddi wrth werin gwlad. Rhai fel Miss Mary Jones, Congl Mynydd, Dinorwig, a ysgrifennodd yn weddigar ar ran ei chwaer a hithau – yn Saesneg! 'O dear Mrs Jones I hope you will get Strength . . . O dear Mrs Jones it is a great loss to this world' ond am ei sicrhau os oedd y ddaear ar ei cholled y byddai'r nefoedd ar ei hennill. Undonog a diflas o debyg ydi'r teyrngedau, o anghenraid. Un Puleston oedd yna. O'r herwydd, yr un a fyddai'r ganmoliaeth iddo a'r feirniadaeth mae'n debyg.

A DAL I'W GANMOL

Wedi'r angladd, talwyd sawl teyrnged iddo a hynny dros nifer o flynyddoedd. Fel newyddiadurwr roedd Morgan Humphreys yn gytbwys ei farn, hyd yn oed ar gwestiwn rhyfel a heddwch. Doedd o ddim yn ddyn 'y deyrnas', yn yr ystyr ei fod o yn heddychwr digymrodedd fel Puleston. Hwyrach i'w nwyd fel 'dyn papur newydd' gymedroli ei safbwynt a'i arwain i gerdded llwybr canol. Dyma ei farn derfynol am Puleston a'i ymddygiad yn ystod blynyddoedd y Rhyfel:

> Dioddefodd lawer, a dioddefodd yn ddistaw, eithr ni syflodd. Ni chwerwodd, ychwaith, ac ni chollodd ei dymer. Byddwn yn rhyfeddu yn aml at ei allu i'w feddiannu ei hun mewn amgylchiadau anodd; byddai yn peri i mi feddwl ei fod wedi codi i fryn uwch na'r rhan fwyaf ohonom ac yn gweld megis 'uwchlaw cymylau amser'. Yr oedd yn dda wrth ei fath yn y cyfnod hwnnw, onide buasai llawer ohonom wedi colli hynny o ffydd oedd gennym.[5]

Eto, aeth ei fab yng nghyfraith mor bell â haeru fod gan Puleston 'watwareg finiog' ond yr 'ymataliai'n raslon rhag ei defnyddio'.

Serch y deyrnged uchod i'w oddefgarwch, doedd Puleston ddim yn honni perthffeithrwydd ac ni fynnai i'r un awdur ei bortreadu felly. Cyfaddefodd unwaith, yn gyhoeddus, mai'r 'drafferth fwyaf i mi ar hyd fy oes yw gorchfygu tymer ddrwg, ac mi fyddaf yn gweddïo mwy am ras i gadw fy nhymer nac am ddim arall.'[6] Ymddengys i mi iddo gael y gras hwnnw'n helaeth ac yn gyson. Pwnc ei bregeth olaf yn Llanfair Caereinion, cyn codi'r swch o'r pridd, a hynny o orfod, oedd 'Iesu Grist fel gweinidog llawenydd'.

A dyma farn un o gyfeillion Puleston am ei gyfraniad, a'r Ail Ryfel Byd, erbyn hynny, i dorri allan lai na thri mis yn ddiweddarach:

> Ond daeth y Rhyfel mawr fel y dilyw yn nyddiau Noa, ac o'r dechrau safodd Puleston ar ei dwr fel proffwyd

a gweledydd. Aeth blynyddoedd heibio er hynny, ond tybed nad rhaid cydnabod mai ef, ac ef yn ddall, a welai'n glir ddyletswydd yr Eglwys, ac a ddehonglai'n gywir feddwl Crist ar bwnc rhyfel?'[7]

Bûm yn meddwl fel hyn. Wedi i'r 'herio dewr o'r ddau du' ddod i ben a fu cymod rhwng unigolion â'i gilydd? Brynsiencyn a Puleston a ddaeth i flaen fy meddwl i. Mi wn na fu i'r naill na'r llall newid dim ar eu hargyhoeddiadau. Oherwydd, yn union wedi arwyddo'r Cadoediad, cysylltodd *Y Brython* â'r ddau i'w holi 'parth y rhyfel a'r hyn sy'n debyg o ddilyn?' Teimlad o 'lawenydd, diolchgarwch a gobaith, a'r tri ynghlwm' oedd un John Williams; yn ogystal â datgan 'fod cyflafan fwyaf yr oesoedd ar ben a buddugoliaeth ar drais a gormes, mewn llawer gwisg, wedi ei hennill.' Roedd ymateb Puleston yn llai ewfforig. Wedi pwysleisio a gwerthfawrogi aberth a dewrder y milwyr ei obaith oedd y gwnâi 'Rhagluniaeth ddefnydd o'r aflwydd hwn er daioni' ac y byddai'r 'da a ddaw ohono'n fwy na'r drwg.'

Fodd bynnag, wedi marw John Williams, fe ysgrifennodd Puleston yn hael a charedig iawn amdano mewn rhifynnau o'r *Genedl Gymreig*:

> Methai rhai o'i edmygwyr pennaf a chydolygu ag ef ar y Rhyfel: ond yr oedd ei deimlad ef a'i anian yn cyfeirio'r ffordd iawn ar y cwestiwn anawdd hwn. Pan gredai miloedd o ddynion gonest fod y doreth o'r

Y Rhyfelwyr – Henry Jones, Lloyd George a'r Parch John Williams, Brynsiencyn

> gwrthwynebwyr o ran cydwybod yn rhagrithwyr rhonc, yr oedd John Williams yn credu fel arall. Credai a dywedai yn ddifloesgni fod y nifer mawr o *Conscientious Objectors* yn fechgyn difrif a gonest, a'u bod yn cael cam dirfawr gan y brawdleoedd.[8]

Mwy na fu rhyfela yn offeryn effeithiol i sicrhau heddwch, fu heddychwyr a heddychiaeth, chwaith, ddim yn llwyddiannus i ddileu rhyfel o'r tir. *Dilyn Ffordd Tangnefedd* ydi teitl cyfrol a gyhoeddwyd i ddathlu canmlwyddiant Cymdeithas y Cymod.[9] Wrth olrhain hanes y Gymdeithas, mae Jane Harries yn cydnabod nad 'yn nhermau buddugoliaethau y dylid ystyried cyfraniad y Gymdeithas' ond am i rai heddychwyr 'aros yn ffyddlon i'w gweledigaeth.' O leiaf, fe wnaeth Puleston hynny.

Mae'n amlwg i mi na surodd Puleston, chwaith, wrth yr unigolion a fu'n ei wrthwynebu. I mi, stori sy'n tanlinellu ei oddefgarwch yn well na dim ydi'r hanes amdano yng nghinio Gŵyl Ddewi 1922 y Gymdeithas Genedlaethol yn yr Adelphi, Lerpwl. Wedi bod am bedair blynedd heb ddathlu, y noson honno roedd yno gynifer â 120 o'r aelodau wrth y byrddau. Y Cadfridog Syr Owen Thomas oedd y gwestai arall a Puleston, fe ymddengys, yn ei hwyliau gorau, serch y cwmni a gadwai a'r hyn a oedd i'w wrando:

> Wedyn, cynygiwyd 'Cymru' gan y Cadfridog Syr Owen Thomas, yr Aelod dros Fôn, a rhediad ei araith yn folawd i wrhydri'r Fyddin Gymreig, yn cael ei britho ag ambell stori a barai gryn chwerthin ymysg y ciniawyddion. Cefnogwyd Cymru gan y gŵr gwâdd arall, y Parch. J. Puleston Jones, M.A., yn chwareus a chyrhaeddgar, ond yn dibennu'n llawer rhy fuan rhagor a ddisgwyliem.[10]

Cafodd gefnogaeth ei deulu, gant y cant, gydol y Rhyfel. Bûm yn meddwl beth fyddai barn rhai o'i ddisgynyddion erbyn hyn. Meddai David Puleston, 'Parthed heddychiaeth, yn gyffredinol mi fyddwn i'n ochri at safbwynt Puleston [ei hen daid] ond mae sefyllfaoedd o ddrygioni erchyll yn codi'r cwestiwn a oes y fath beth â rhyfel cyfiawn.'

Wedi byw hefo John Williams, a Puleston, am rai blynyddoedd, yn fy marn i y cyntaf o'r ddau sydd wedi heneiddio leiaf a'i agwedd o at ryfela sydd fwyaf poblogaidd o hyd. Yn wir, yn fwy na dim arall, rhan John Williams yn recriwtio a gadwodd ei enw'n fyw. Ond beth am Puleston? Faint sy'n ei gofio erbyn hyn? Ymhen chwarter canrif, mwy neu lai, wedi ei farwolaeth, ofnai Morgan Humphreys nad oedd Puleston erbyn hynny 'yn fawr fwy nag enw i laweroedd.'[11] Beth bynnag am hynny, bu sawl ymdrech lew i gadw'r hanes amdano i gerdded.

Fel y cyfeiriwyd yn gynharach, ar nos Sul, 16 Awst 1953, darlledwyd rhaglen radio amdano. Un arall o'r cyfranwyr oedd J. O. Williams, a oedd yn ei gofio yn weinidog ym Mhwllheli: 'Ia, dyn mawr oedd Puleston Jones. Mi rydw i'n ymfalchïo iddo wneud *Ink Stand* derw yn anrheg priodas i ni. Bob tro y bydda i yn edrych arno, dw i'n cofio'r dyn dall hwnnw oedd yn gweld cymaint.'

Pan ddaeth hi yn ganmlwyddiant ei eni, wedyn, bu cryn ddathlu. Ar nos Sadwrn, 2 Mehefin 1962, daeth tyrfa fawr i lenwi Stryd Fawr y Bala i gael gwylio dadorchuddio cofeb ar fur London House i nodi maint ei gyfraniad. Cymdeithas Hanes Penllyn a gafodd y syniad ac a wnaeth y trefniadau.[12] Ganol Medi, yr un flwyddyn, anfonodd Islwyn Ffowc Elis

Teulu JPJ ddiwrnod dadorchuddio'r gofeb ar London House. Ei ferch, Myfanwy, yn y canol.

R T Jenkins yn ymlwybro i'r llwyfan
i annerch y dorf ar achlysur dadorchuddio'r gofeb i John Puleston Jones.

Myfanwy, yn
union wedi'r
dadorchuddio, heb
ollwng y llinyn.

lythyr at 'Mrs Myfanwy M. Jones ac Alun Puleston' i drefnu i alw yno yng nghwmni Wilbert Lloyd Roberts i recordio ar gyfer rhaglen radio dri chwarter awr i ddathlu canmlwyddiant ei eni.[13]

Y dathlu ar lwyfan olaf o faint, cyn belled ag y gwn i, oedd pasiant, *Cannwyll yn olau*, a berfformiwyd am dair noson olynol yn Neuadd y Dref Pwllheli, ddiwedd Tachwedd 1997 ac unwaith yn Theatr Seilo, Caernarfon, ddechrau Rhagfyr. Fe'i lluniais ar gais Henaduriaeth Llŷn ac Eifionydd. Fel hyn yr ysgrifennodd Gwilym Griffith yn ei gyfrol o atgofion: 'Profiad i'w gofio oedd cynhyrchu'r pasiant, portread llwyfan o fywyd Puleston Jones, y gweinidog dall. Roedd mwy na dau gant yn y cast, o ardal yn ymestyn o Aberdaron i Borthmadog, ac mi

Y gofeb ar fur ei gartref

Tair cenhedlaeth. Annie Puleston, y fam, gydag Alun, y mab, a'i hwyres, Gwenno, yn mwynhau awel y môr a'r heulwen.

ddaeth dros ddwy fil o bobl i weld y perfformiadau.'[14] Yna, o 30 Gorffennaf hyd 18 Awst 2012 bu arddangosfa lwyddiannus iawn yng Nghanolfan y Plase, yn y Bala, i ddathlu ei fywyd a'i wasanaeth.

Penri Jones, y bûm yn crwydro'r Bala yn ei gwmni

Cyn rhoi gair ar bapur, ac wedyn ar y terfyn – i ddisgwyl i'r inc sychu fel petai – bûm yn cerdded strydoedd y Bala i chwilio'r hanes ac i anadlu awyrgylch y fro. Ar wahân i'w fagwraeth, y Bala – a Chapel Tegid yn arbennig – a roddodd iddo ei werthoedd cynhenid a'i wneud y gŵr ag ydoedd.

Yn ystod fy ngherddded cyntaf yno, bûm yn ddigon ffodus i daro ar Penri Jones o'r Parc; y fo eglurodd i mi ymhle roedd Tremaran, lle collodd y plentyn deunaw mis ei olwg. Dangosodd i mi y gofeb sydd ar fur yr hen London House, ymhle roedd Mount Place, a'r ysgolion lle cafodd Puleston syched oes am ddysg. Gwyddai Penri yn dda am Puleston a gallai synhwyro maint ei gyfraniad.

Y tro olaf y bûm i yn cerdded y dref, yn holi hwn ac arall, roedd pethau'n wahanol:

> 'Glywsoch chi am Puleston Jones?'
> 'Am bwy?'
> 'Puleston.'
> 'Rhaid i chi faddau i mi.'
> 'Ydi'r enw Puleston yn canu cloch i *chi*?'
> 'Come again.'
> 'Does the name Puleston, or Puleston Jones, ring a bell?'

'Never 'eard . . . I'm sorry.'

'Wyddoch chi rwbath am Puleston Jones?'

'Puleston! Y pregethwr dall hwnnw?'

'Ia.'

'Sgynnoch chi amser? Fedra i fynd â chi at 'i fedd o rŵan.'

David Puleston Williams yn rhannu'r stori hefo mi.

Roedd gen innau ddigon o amser, am unwaith, gan fy mod wedi cwblhau'r gyfrol.

FFYNONELLAU

Syrthio ar wydr – a gwaeth

1. Gweinidog gyda'r Methodistiaid Calfinaidd. Gweler Evan Davies, *Cofiant y Parchedig Joseph Thomas, Carno ynghyd a detholion o'i anerchiadau a'i bregethau*, 1890.
2. R. W. Jones, *Y Parchedig John Puelston Jones, M.A., D.D.*, 1929, tt. 16-17; 'Cofiant' o hyn ymlaen.
3. Gwybodaeth am Hugh Richard Pughe drwy garedigrwydd Myfyr Hughes, y Bala.
4. Cofiant, t. 24. Weithiau'r 'dwymyn goch', *scarlet fever.*
5. Y cysylltiad posibl oedd fod tad Evan Jones yn hanu o Drawsfynydd a Hugh Richard Pughe, yn ôl Cyfrifiad 1861, wedi'i eni yno.
6. *Y Bywgraffiadur Cymreig Hyd 1940*, t 768
7. *Puleston Jones Family History*, gwefan hanes teulu, hawlfraint Haydn Puleston Jones; *Trafodion Anrhydeddus Gymdeithas y Cymmrodorion*, 1902-3, 36 a John Wynne, *Hanes Sir a Thre Caernarfon*, 1861. Yn ystod Ffair Ŵyl Fihangel, Medi 1294, ymosododd gwrthryfelwr o Fôn ar y dref.
8. Maldwyn A. Jones, *Trafodion Anrhydeddus Gymdeithas y Cymmrodorion*, 1997, 28.

9. *Cyfansoddiadau buddugol eisteddfod Dinbych, 1860: a'r beirniadaethau: ynghyd a hanes ei gweithrediadau*, 1863, t. 5. Y beirniaid oedd Eben Fardd, Emrys a Dewi Wyn o Essyllt, wyth wedi cystadlu a'r feirniadaeth yn unfryd mai cerdd 'Sarah Felicia' oedd yr orau. Ceir deg pennill a'r gerdd yn agor:

   Ar lan ryw afon brydferth
     Yn sŵn ei rhediad rhydd,
   Y rhodia un anwylach
     Na'r lili lanaf sydd;
   Wrth sylwi ar ei hagwedd,
     Nis gall fy nghalon i
   Ddim gorphwys, nes cael canfod
   Ei hoff breswylfod hi.

10. Archif Puleston (ym meddiant y teulu)
11. Rhwng 1827 ac 1838 ganed pump o blant. Evan oedd yr ail a Robert yn blentyn ieuengaf. Addysgwyd Evan yn Ysgol Ramadeg y Bala – Ysgol Tŷ Tan Domen – cyn cael addysg bellach yng Ngholeg y Methodistiaid yn y dref.
12. Archifdy Meirionnydd, Dolgellau; *Puleston Jones Family History*: Conveyance dated 2 April 1875 between (1) Richard Jones of Plasyracre, Bala, merchant; John Lloyd Griffith of Holyhead, co. Anglesey, gentleman; and William Pryce Jones of Surbiton, co. Surrey, Doctor of Medicine (acting as executors of the will of Bridgetta Dorothea Lloyd of Plasyracre, Bala) and (2) Evan Jones of Bala, builder, conveying to Evan for £2,000 (a very large sum of money in those days) 7 messuages or dwellinghouses and shops with the outbuildings and yards situate in High Street, Bala . . .'
13. 'Chwarel yr Arenig' gan Rhigymydd-Dygn, Archif Puleston.
14. T. I. Ellis, *Thomas Edward Ellis*, cyfrol 1, t. 125

15. John Davies, *Hanes Cymru*, 1990, tt. 462-3
16. *Puleston Jones Family History*
17. Rhys Tudur, *Ddoi di am Dro i'r Bala?* 1993, t. 20. Defnyddiwyd yr adeilad am y waith gyntaf ym mis Mai 1867.
18. Cofiant, t. 17
19. Ibid., t. 13

Yn y Bala dirion, deg

1. R. T. Jenkins, *Edrych yn Ôl*, 1968, tt. 24-57.
2. Roedd Mynorydd, William Davies, 1826-1901, yn gerflunydd llwyddiannus, yn gerddor ac arweinydd corau.
3. *Edrych yn Ôl*, tt. 48-9
4. Cofiant, tt. 17-18
5. Cofiant, t. 18
6. *Adgofion Andronicus*, 1894, tt. 68-9
7. Ibid., t. 21; ymddangosodd mewn rhifyn o'r *Goleuad* yn Chwefror 1873.
8. Arhosai ym Mryn Alun, Yr Orsedd (Rossett), ar stad Alexander Balfour, cefnogwr hael i'w genhadaeth, marsiandwr a sefydlydd y Liverpool Shipping Company.
9. Cofiant, t. 18
10. Cofiant, t. 23
11. Ibid., t. 23. Atgofion R. Foulkes Jones, a fu am gyfnod yn Brifathro Ysgol Gynradd Llwyngwril.
12. Collodd William Moon ei olwg yn ifanc. Yn fuan iawn sylweddolodd nad oedd y systemau darllen a oedd ar gael yn rhai llwyddiannus iawn a datblygodd un newydd.
13. Cofiant, t. 23. Un o'r Bala oedd Llew Tegid, Lewis Davies Jones, llenor ac eisteddfodwr ac yn 11 mlynedd yn hŷn na Puleston.
14. *Edrych yn Ôl*, t. 67
15. Ceir peth o hanes yr ysgol yn *Nhrafodion Cymdeithas Hanes Sir Feirionnydd*, cyfrolau 1 a 2.

16. Cofiant, tt. 25-6. Bu'r awdur am gyfnod yn Brifathro Ysgol Gynradd Llanfairynghornwy, Môn.

17. Ibid., t. 24

18. T. I. Ellis, *Thomas Edward Ellis*, cyfrol 1, t. 41

19.*Ysgrifau Puleston*, 1926, t. 50. Gweler *Y Geninen*, Hydref 1920 ac Ionawr 1921.

20. D. Tecwyn Lloyd, *Cymysgadwy*, 1986, t. 27

21. Yn 1816 y daeth Cwmni E. Remington and Sons i fodolaeth, yn arbenigo ar gynhyrchu gynnau ar y dechrau, a pheiriannau gwnïo yn nes ymlaen.

22. Densil Morgan, *Thomas Charles o'r Bala,* 2014, t. 204; D. Francis Roberts a Rhiannon Francis Roberts, *Capel Tegid y Bala, Dau-canmlwyddiant 1757-1957*, 1957, t. 59.

23. *Bywyd a Gwaith Owen Morgan Edwards 1858-1920*, t. 110.

24. Ibid., t. 111

25. Roedd Ellis Edwards yn gyfathrebwr medrus er y bu byddardod yn anabledd iddo. Am gyfnod roedd 'Ellis Edwards a'r Iddew' yn adroddiad poblogaidd. Bu, unwaith, yn fyfyriwr ac yn athro cynorthwyol yn y Bala gan ddatblygu i fod yn ysgolhaig a hanesydd eglwysig.

26. Cofiant, t. 30

27. Ibid., t. 29. Yn 1824, y dyfeisiodd Louis Braille, Ffrancwr a gollodd ei olwg yn 15 oed, ei gyfundrefn ddarllen a diweddariad ohoni yn 1829.

28. Cofiant, t. 42. Edward Edwards (1865–1933) oedd trydydd mab y teulu a ddaeth, yn nes ymlaen, yn Athro Hanes yn y Brifysgol yn Aberystwyth.

29. Cofiant, t. 40

30. *Owen Morgan Edwards*, t. 126

31. Geiriau Iesu, 'Eithr Mab y dyn, pan ddêl, a gaiff efe ffydd ar y ddaear?' oedd ei destun, Luc 18:8.

32. Cofiant, t. 36

33. *Edrych yn Ôl*, t. 101

O'r Bala i Balliol

1. Yn ôl y wefan, New College Worcester ydi'r enw erbyn hyn. Fe'i disgrifir fel ysgol annibynnol, ddyddiol a phreswyl ar gyfer oddeutu 80 o fyfyrwyr, 11-19 oed.
2. Archif Puleston. Llythyr, dyddiedig 1 Rhagfyr 1927, a anfonodd F. M. West o 11 Downshire Square, Reading.
3. Pan aeth Syr Henry Jones o Langernyw i Brifysgol Glasgow roedd yna arferion gwisgo tebyg – heb fod cymaint gorfodaeth, hwyrach. 'I never possessed a night-shirt! nor did I know that I ought to possess one. Far less had I an evening suit of swallow-tails': Henry Jones, *Old Memories*, 1923, t. 154.
4. Cofiant, t. 44
5. Copi gwreiddiol yn Archif Puleston a'i ddyfynnu'n llawn yn y cofiant, t. 46.
6. Llythyr F. M. West. 'There were three old, old Jews', cân ddychanol yn enwi Abraham, Isaac a Jacob ac yn camynganu'u henwau i gyfeiliant y gerddoriaeth': 'Eysie-Eysie-Eysie-Suck-Suck-Suck', a'i debyg.
7. Erbyn 1891 roedd hi'n nyrs drwyddedig yn Ysbyty'r Bwthyn yn Llangollen. Yn 1896 daeth yn ail wraig i Deiniol Fychan, chwarelwr a ddaeth yn fardd gwlad, pregethwr a gŵr busnes, a'r ddau, yn ddiweddarach, yn ymsefydlu ym Mangor. Mae eu bedd ym mynwent Eglwys Llanrug.
8. *Owen Morgan Edwards*, t. 184
9. Ibid., t. 242
10. Hazel Walford Davies (gol.), *Llythyrau Syr O. M. Edwards ac Elin Edwards 1887-1920* t. 167.
11. Cofiant, t. 49. 'William Mathias Griffith y Dyffryn' oedd y myfyriwr hwnnw. Yn nes ymlaen, bu yntau, fel Puleston ac O. M., yn aelod o Gymdeithas Dafydd ap Gwilym.

12. Yn yr Archif, ceir traethawd gan Puleston yn cymharu'r ieithoedd Cymraeg a Saesneg: teithi'r ddwy iaith, eu gramadegau a datblygiad eu tafodieithoedd.
13. Archif Puleston. John Locke (1632 – 1704), athronydd, meddyg ac un o ddylanwadau mawr yr Oes Oleuedig. Fe'i disgrifiwyd fel 'Tad Rhyddfrydiaeth'. Diddorol ydi cyfeiriad Puleston, ac yntau'n ddall, at y 'llygad i achwilio'r telesgop'.
14. Gwilym Arthur Jones, B*ywyd a gwaith Owen Morgan Edwards*, t.31.
15. *Owen Morgan Edwards*, t.242.
16. Ibid., t. 183
17. *Y Drysorfa*, Mai 1939, 177. Bu Maurice Griffiths yn weinidog gyda'r Methodistiaid Calfinaidd o 1891 ymlaen nes y gorfodwyd ef i ymddeol oherwydd afiechyd yn 1914. Gweler *Blwyddiadur* (*MC*) *1944*, t. 129.
18. T. I. Ellis, *Thomas Edward Ellis*, cyfrol 1, t. 149
19. *Y Drysorfa*, Mai 1939, 178-9
20. Archif Puleston
21. Ibid. Ar ddydd marwolaeth Edward, ysgrifennodd Owen Edwards lythyr at Mrs Jones, Mount Place, yn amgáu cerdd o waith y bardd James Russell Lowell,(1819-91): 'No need to pause and cleanse his feet/To stand before his God.'
22. Archif Puleston a'r Cofiant, tt. 68-9. Ceir sawl cyfeiriad at sut y siaradai ac y pregethai Puleston yn Saesneg â'i acen Gymraeg yn amlwg ddigon.
23. Cofiant, t. 83
24. Ganed Margaret Jones, Siop Cefnygader, Yr Wyddgrug, yn 1814; bu farw'n ddibriod yn 1841 wedi gwaeledd hir. Yn ei chyfnod, roedd y gyfrol yn un boblogaidd Mae copiau ail-law yn dal i'w gweld o bryd i'w gilyddd.
25. *Y Geninen*, Daniel Owen, 'Adgofion am Glan Alun', Ebrill 1886, tt.108-112.

26. Ar y wefan *MacCay Family Tree*, lle ceir maylion am Glan Alun a'i ddisgynyddion, enwau pump o blant a gofnodwyd. Angharad Rhys, Caernarfon, a'm cyfeiriodd at y dderwen deulu honno. Ym Mhwllheli, Gorffennaf 1843, y bu'r briodas gyntaf ac un o'r fro honno, mae'n debyg, oedd Anne Evans, mam Annie.
27. Richard Parry, Gwalchmai, *Y Dysgedydd*, 'Adgofion am Enwogion', Ionawr 1879, 16-119.
28. Yn ôl y Cyfrifiad, pennaeth y teulu oedd Martha Jones, gweddw 65 oed, yn ffarmio 39 acer. O ran perthynas, disgrifir Annie, a oedd yn 25 oed, yn 'Step Daughter,' a John, a oedd yn 29 oed, yn 'Step Son'. Galwedigaeth Annie, ar y pryd, oedd 'Farmer's Daughter' a John yn fyfyriwr yng Nghaeredin. Dyma'r John Thomas Alun Jones a ddaeth yn weinidog ac yn Gofrestrydd a Llyfrgellydd Coleg y Bala am yn agos i 40 mlynedd. Disgrifir John Puleston, 19 mlwydd oed, yn 'Theological Student'.
29. Archif Puleston. Ysgrifennwyd o Rydychen, 2 Hydref 1887.
30. Ibid. Ysgrifennwyd ym Mount Place, 27 Awst 1887
31. Ibid. Anfonwyd o Mount Place, 20 Awst 1888
32. *Y Seren*, 4 Awst 1888
33. Un o Dregaron, myfyriwr yng Ngholeg Merton a ddaeth yn Athro Hanes yng Ngholeg Dewi Sant, Llanbedr Pont Steffan, yn Ficer Llandeilo Fawr ac yn Archddiacon Caerfyrddin. Bu farw yn 1938.

Yn Gymro pur yn Princes Road

1. R. Tudur Jones, *Ffydd ac Argyfwng Cenedl*, cyfrol 1, 1981, t. 15.
2. *Y Drysorfa*, Mai 1939, 180
3. Archif Puleston
4. Archif Puleston; *Blwyddiadur* 1917, tt. 215-16, Coffâd. O ran eu haddysg, mynychodd y ddau ysgolion y dref, Coleg y Bala a Choleg Balliol.

5. Archif Puleston; Cofiant, t. 76.
6. Hysbyswyd aelodau'r eglwys o ymateb Puleston yn ystod yr oedfaon y Sul canlynol, 11 Tachwedd 1888. Dechreuodd bregethu yno yn Ionawr a'i sefydlu yn fugail yr eglwys, 10 Ebrill 1889.
7. Gweler llawysgrif Bangor 34929, Prifysgol Bangor: 'That this meeting is of the opinion that an English Cause should be formed in connection with the Calvinistic Methodists.'
8. Archif Puleston. Wedi ymgeisio'n aflwyddiannus am swydd Prifathro Coleg y Gogledd yn 1884, penodwyd Henry Jones yn Athro Athroniaeth yno. Wedi dwy flynedd, symudodd y teulu o Fangor Uchaf i fyw i dŷ ffarm, Perfeddgoed, ddwy filltir y tu allan i'r ddinas.
9. Archif Puleston
10. *Llythyrau Syr O. M. Edwards ac Elin Edwards*, t. 145
11. *Y Seren*, 20 Rhagfyr 1890, 5
12. Cofiant, t. 253
13. Archif Puleston
14. Cofiant, t. 85
15. *The North Wales Express*, 26 Awst 1892, 6; *Y Gwyliedydd*, 7 Medi 1892, 4. Dathlu dechreuad yr Eglwys Brotestannaidd yn Ffrainc oedd yr amcan; yn y Crypt y cynhaliwyd yr oedfa; y Canon W. H. Freemantle, cyn-athro iddo yn Balliol, a'i gwahoddodd a chyhoeddwyd crynodeb o'i bregeth – 'eloquent and appropriate'– yn *The Kentish Gazette*.
16. *The North Wales Chronicle and Advertiser*, 2 Gorffennaf 1892, 5.
17. Cofiant, t. 88
18. *Trafodion*, 1997, cyfrol 4, 28-47. Yn *Y Bywgraffiadur Cymreig Hyd 1940*, tt. 768-9, fe'i disgrifir yn 'Eglwyswr blaenllaw', 'Ceidwadwr cydwybodol' a 'Cymro cynnes a ymddiddorai ym mhob mudiad cenedlaethol Cymreig'. Yn 1887 y cafodd ei ddyrchafu'n Farchog. Bu'n rhaglaw dinas Llundain a chwnstabl

Castell Caernarfon. Ym meddiant David Puleston mae yna lyfryn ac ar ei dudalen flaen ceir:

PREGETH
a draddodwyd yn
EGLWYS GADEIRIOL S. PAUL
LLUNDAIN
Chwefror 27ain 1897
Gan y
Parch G. Hartwell Jones
Rheithor Nutfield
Cyflwynedig gan yr ysgrifennydd i
SYR JOHN PULESTON
Fel arwydd o barch a diolchgarwch iddo am ei ddyddordeb dwfn a diflino yng nghyflwr ei gydwladwyr

19. Cofiant, t. 81
20. Gweler Thomas Gwynn Jones, *Emrys ap Iwan, Cofiant*, tt. 86-117; 125-70.
21. Idris Thomas, *Pêl Goch ar y Dŵr, Hanes Trychineb Ysgol Sul Dinorwig*, 1999, t. 15. Tŷ ydi'r adeilad hwn bellach ac fe'i disgrifir fel 'superb chapel conversion'.

'Dyrchafaf fy llygaid i'r mynyddoedd'

1. Alun Llywelyn-Williams, *Crwydro Arfon*, 1959, t. 161.
2. Norman Closs Parry, Treffynnon, bardd â'i wreiddiau yn y Fach-wen.
3. Cofiant, t. 157
4. E. Morgan Humphreys, *Gwŷr Enwog Gynt*, ail gyfres, 1953, t. 45.
5. Cofiant, t. 117
6. *John Puleston Jones*, rhaglen radio, darlledwyd nos Sul, 16 Awst 1953, gyda John Gwilym Jones, y dramodydd, yn cyfarwyddo.

7. Cofiant, t. 120
8. Un o Gorris, a dreuliodd 37 mlynedd yn un o genhadon y Methodistiaid Calfinaidd ym Mryniau Casia, India, a'i briod, Sidney Margaret, yn chwaer i wraig Puleston.
9. Cofiant, t. 121
10. Archif Puleston. Dyddiedig 25 Mehefin 1901 gyda'r cyfeiriad 'Dinorwig, Cwm y Glo R. S. O'.
11. Ibid.
12. Ibid.
13. Cofiant, t. 123
14. *Pêl Goch ar y Dŵr*, tt. 19-20
15. Archif Puleston
16. Elidir Sais, 'Nodiadau o Lanberis', *Y Cymro,* 8 Mehefin 1899, 7.
17. Cofiant, tt. 133-4
18. Er enghraifft, dyna a ddigwyddodd, unwaith, yng Nghyfarfod Misol Llŷn ac Eifionydd a eisteddai yn Nhrefor, 8 Awst 1911.
19. 12 Mai 1915, t. 5
20. *Y Traethodydd*, cyfrol LV, 1899-1900
21. Ibid.
22. *Yr Herald Cymraeg*, 31 Ionawr 1905, 8. Ychwanegwyd, 'fod rhif y troedigion o ddechreu'r diwygiad hyd ddiwedd yr wythnos [honno] tua 70,000.'
23. Llyfrau poblogaidd, ar y pryd, ac mae gan David Puleston gasgliad ohonynt.
24. Archif Puleston; *The Methodist Recorder*, 22 Medi 1904.
25. Cofiant, t. 150
26. Archif Puleston, toriad papur newydd
27. Llyfrgell Genedlaethol Cymru, CMA, Cofrestri Capel Dinorwig.
28. *Y Goleuad*, 19 Rhagfyr 1906, 10
29. Archif Puleston, toriad papur newydd; Cofiant, t. 161. Alafon, Owen Griffith Owen, gweinidog lleol gyda'r un enwad, bardd a

chyfaill agos. Yn ddiddorol, flwyddyn ynghynt roedd Puleston newydd dderbyn *The Works of William Shakespeare with life, glossary etc* gyda'r geiriau, 'Rhodd fechan i'n hannwyl dad oddiwrth Alun a Myfanwy; Gyda'r dymuniadau goreu. Feb. 26. 1906'. Yn ôl y dyddiad, anrheg pen blwydd oedd hwnnw ac yntau yn 44 mlwydd oed.

Dringo i Ben y Mownt

1. Ymchwil Glyn Owen, Mynytho; LLGC, Papurau Cwrtmawr a Gwefan Cyngor Tref Pwllheli.
2. Yn ôl D. G. Lloyd Hughes, *Hanes Eglwys Penmount Pwllheli*, 1981, tt. 85-92, 537 oedd rhif cywir yr aelodaeth.
3. *Y Goleuad*, 17 Mai 1907, 10
4. Ibid, 5 Chwefror 1908, 4
5. Cofiant, t. 283
6. *Lloffion Llŷn*, W. Arvon Roberts, t. 74
7. *Y Goleuad*, 19 Mehefin 1907, 18
8. Archif Puleston; dogfen breifat a anfonodd at y cofiannydd, ar ei gais mae'n debyg. Bu'n weinidog Capel y Garth o 1905 i 1948, a'r Capel Saesneg yn nes ymlaen; yn ddiwinydd, llenor, dramodydd a bardd, gan ennill ar yr englyn yn Eisteddfod Genedlaethol 1946.
9. *Y Goleuad*, 5 Awst 1914, 1
10. Cofiant, t. 164
11. Archif Puleston; dogfen W. T. Ellis
12. *Hanes Eglwys Penmount Pwllheli*, t. 89
13. *Y Goleuad*, 17 Gorffennaf, 1907, 11. Mudiad a sefydlwyd yn America ar droad y ganrif oedd y Gynghrair a daeth un 'Mr Bailey' i Bwllheli i annerch y plant yn yr ysgolion a'r capeli.
14. Cofiant, t. 167
15. Archif Puleston, toriad o'r *Observer*, 19 Tachwedd 1909.

16. Cofiant, t. 175. Un o Dreorci oedd Ward Williams yn wreiddiol, yn weinidog gyda'r Presbyteriaid Saesneg, ac yn briod â Mary Emily, chwaer Puleston.
17. Profwyd yr ewyllys ar 19 Mawrth 1910. Yn Archif Puleston ceir y nodyn a ganlyn: 'Yr wyf fi, J. Puleston Jones, yn gadael hynny a feddwyf, pan ymadawaf a'r fuchedd hon, i'm priod Annie Jones, gan adael iddi hi rannu rhwng y plant, os bydd hi byw ar fy ôl, a gadael arni hefyd roddi rhyw anrhegion bychain a welo hi yn dda, i'm cyfnesefiaid i gofio am danaf.'
18. *Edrych yn Ôl*, 1968, t. 40
19. W. M. Griffith[s], Dyffryn, *Y Goleuad*, 12 Mai 1914, 8-9.
20. *Y Brython*, 16 Gorffennaf 1914, 4.

Pwllheli, Pwll Halen

1. *Yr Udgorn*, 27 Awst 1913, 3. Bu'r frwydr i ddatgysylltu'r Eglwys Wladol Anglicanaidd yng Nghymru'n mudlosgi o tua 1870 hyd 1920 a dadlau cyson ar y pwnc. Honnai'r llythyrwr fod y 'ffrwydr-belen' ganddo'n barod.
2. *Ysgrifau Puleston*, 1926, t. 45
3. *Yr Udgorn*, 12 Awst 1914, 3
4. Ibid., 9 Medi 1914, 3
5. Fe'i ganed yn Ro-wen, Dyffryn Conwy. Bu'n cadw busnes ym Mhwllheli o tua 1888 ymlaen, yn aelod o Gyngor Tref Pwllheli ac yn un o sylfaenwyr y Clwb Rhyddfrydol. Bu farw yn 1930 yn 70 oed.
6. *Yr Herald Cymraeg*, 26 Mehefin 1917, 2. Ymunodd â Byddin Awstralia yn Hobart, Tasmania, gan ymladd yn y Dardanelles a cholli'i fywyd ar ddydd cyntaf brwydr Messines, 7-14 Mehefin 1917.
7. Cofiant, tt.188-9

8. *Yr Herald Cymraeg*, 30 Tachwedd 1915, 5 a 7 Rhagfyr 1915, 5. Cafwyd dadl ar yr un pwnc tua'r un pryd, yn Eglwys Salem, ond yno yr 'ochr gadarnhaol' a enillodd, a oedd o bosibl yn dangos dylanwad Puleston ym Mhenmount.
9. Cofiant, t. 192
10. *Y Goleuad*, 13 Gorffennaf 1917, 3
11. *Hanes Eglwys Penmount*, t. 91
12. Mae'r hyn a gofnododd ei mam am ddyddiau ac oriau olaf y ddau yn ddwys ryfeddol, ond yn ddatganiad o ffydd gref a chred anhygoel mewn pwrpas a threfn. Roedd y tad, Thomas Griffith Roberts, mab 'Dr John Roberts Cassia', y cenhadwr, yn Swyddog Addysg gyda gofal am Gymru, a'r teulu'n aelodau selog o eglwys Gymraeg Wilton Square.
13. *Y Goleuad*, 17 Rhagfyr 1915, 7
14. *John Puleston Jones*, rhaglen radio. Yn *Yr Herald Cymraeg*, 25 Mehefin 1915, 5 ceir hanes ei phriodas ag Owen Morris, a oedd yn aelod o'r un eglwys; wrth ei alwedigaeth yn 'Draper Assistant', yn actor ac adroddwr o ran ei ddoniau. Ymfudodd y ddau i Lerpwl yn 1922 gan ddychwelyd cyn hir ac aros ym Mhwllheli weddill eu hoes.
15. Priododd Henry Puleston gydg Eliza – unig ferch Watkin Williams, rheolwr ffowndri yn Wigan – a chawsant ddau o feibion ac un ferch. Bu'r teulu'n byw yn Wrecsam, Dolgellau, Blaenau Ffestiniog a Llanidloes.
16. Archif Puleston
17. *Y Goleuad*, 11 Mehefin 1915, 12 Dros ddeuddydd byddai'r ddau, mae'n debyg, wedi aros ar yr un aelwyd, wedi gorfod rhannu'r un bwrdd ac yn y dyddiau hynny, o bosibl, gysgu yn yr un gwely.
18. *Yr Herald Cymraeg*, 18 Ebrill 1916, 8

19. Gweinidog gyda'r Wesleaid oedd Robert Conway Pritchard (1882-1954), a'i dymor ym Mhwllheli oedd 1916-18. O ran oedran roedd o 20 mlynedd yn iau na Puleston ond y ddau'n gytûn cyn belled ag roedd eu barn am y Rhyfel yn y cwestiwn. Ceir teyrnged iddo yn *Yr Eurgrawn*, 1954, 130.
20. Clive Hughes, *Army Recruiting in Gwynedd 1914-1916*, tt. 268-9.
21. Cofiant, t. 205
22. *Yr Udgorn*, 23 Ionawr 1918, 2. Tybed a oedd o'n taro ergyd i'r pared glywed, gyda'i feibion yn ymladd ac un, Arthur Meredydd, i gael ei ladd, 10 Ebrill 1918?
23. Ibid., 16 Mai 1917, 3. Roedd y Maer, hefyd, yn flaenor ym Mhenmount.
24. Cofiant, t. 198. Parchedig D. M. Jones, Abertawe, oedd y cyfaill a'r llythyr a anfonwyd ato wedi ei ddyddio 15 Mai 1917.
25. *Yr Udgorn*, 27 Mehefin 1917, 3
26. *Y Goleuad*, 14 Medi 1917, 2
27. Cofiant, t. 203; llythyr dyddiedig 28 Medi 1917
28. *Yr Udgorn*, 17 Ebrill 1918, 3
29. Ibid., 1 Mai 1918, 3
30 *Gwŷr Enwog Gynt*, ail gyfres, 1953, t. 43
31. Archif Puleston; dogfen W. T. Ellis.
32. *Y Cymro*, 8 Mai 1918, 3
33. *Yr Herald Cymraeg*, 7 Mai 1918, 7

I fwynder Maldwyn – am ychydig

1. Archif Puleston
2. Rhodd teulu David Davies, Llandinam – y diwydiannwr a'r aelod seneddol – oedd yr adeilad. Yn ogystal, yn niwedd y bedwaredd ganrif ar bymtheg, cyfrannodd at godi capel i'r Methodistiaid yn y dref.
3. Emyr Davies, *O Ben y Foel a Cherddi Eraill*, 2014, t. 33. Y 'Melinydd' oedd Evan Rowlands, a oedd yn flaenor ym Moreia bryd hynny.

4. *Y Brython*, 5 Rhagfyr 1918, 1
5. *Y Goleuad*, 28 Mehefin 1918, 5
6. Cofiant, t. 209
7. *Y Goleuad*, 23 Awst 1918, 5
8. Ibid., 27 Medi 1918, 5
9. 'Basgedaid o'r Wlad', *Y Brython*, 21 Mawrth 1918, 5.
10. Fe'i ganed, 8 Awst 1863, ychydig wythnosau cyn i Puleston golli'i olwg. Rhwng 1889 ac 1907 cafodd Robert a Fanny 14 o blant. Wedi marw ei briod yn 1909, ailbriododd gydag Elizabeth Parry o Sir y Fflint a mudo i'r Friog ac yno y bu farw. Mae ei fedd ym mynwent Eglwys Crist, Y Bala, ond nid oes yno, hyd y gwn i, garreg ar y bedd.
11. Yn ystod ei blynyddoedd olaf, daeth nith i Evan Jones, Mary Esyllt, i ofalu amdani.
12. *Y Brython*, 1 Awst 1918, t. 5
13. Archif Puleston
14. *Y Seren*, 19 Medi 1896.
15. *Y Brython*, 1 Awst 1918, t 5.
16. Ibid.
17. Archif Puleston
18. Ibid. Roedd Ward Williams, priod Mary Emily, yn weinidog yn Summerhill, yn ardal Gwersyllt, ar gyrion Wrecsam.
19. Cofiant, t. 252
20. *Y Clorianydd*, rhifyn 12 Mawrth 1930. Un o Bentraeth, Môn, oedd David Thomas, Llwydiarth Môn. Bardd cadeiriol Eisteddfod Talaith a Chadair Powys 1911. Bu farw yn 1933.
21. Archif Puleston; llythyr dyddiedig 26 Hydref 1921 at un a gyfarchai fel 'Annwyl Jennie'.
22. Cofiant, t. 216

23. Ibid., t. 211, 'Gwelir oddi wrth ei ddyddiadur fod pob yn ail bregeth a gyfansoddai yn Llanfair yn ymwneuthur â rhyw wedd neu'i gilydd i'r gwirionedd am y Cymod yng Nghrist.' Hefyd, *Y Goleuad*, 12 Ebrill 1918, 6.
24. Cofiant, t. 225. Traddododd y ddarlith yn agos i 40 o weithiau yn ystod 1921 a 30 o weithiau yn 1922.
25. *Ysgrifau Puleston*, 1926, t. 45. Gweler *Y Geninen*, Hydref 1920 ac Ionawr 1921.
26. Archif Puleston
27. Cofiant, t. 221

Serch ei ddallineb, nid o'i herwydd

1. Archif Puleston; Cofiant, t. 178
2. *Y Cymro*, Ionawr 1925
3. Cofiant, t. 182
4. *The Rhos Herald*, 3 Gorffennaf 1909, 4
5. Lluniodd un englyn i ddiolch am rodd o faen llifo a gafodd gan Alun gyda'r esgyll: 'Dim draffts, na myned am dro/na llyfyr ond maen llifo.'
6. *Y Brython*, 29 Gorffennaf 1915, 4
7. *Crynhoad*, Hydref 1951, 34. Un o Ganada, ac yn ei gyfnod yn athro, gwyddonydd, storïwr a nofelydd hynod boblogaidd.
8. *Y Brython*, 29 Gorffennaf 1915, 4
9. *Y Goleuad*, 27 Tachwedd 1907, 8
10. Cofiant, t. 264
11. *Y Geninen*, Hydref 1920
12. Dyfyniad o 1 Pedr 2:19, 'hyd oni wawrio y dydd', a roes fod i'r teitl.
13. Gweinidog gyda'r Saeson yn Ninbych a oedd newydd ymddeol yn gynnar i chwilio a chofnodi hanes Methodistiaeth yng Nghymru. Prun ai cymwynas oedd hyn neu gwaith am dâl, mae'n anodd penderfynu. Gweler *Y Bywgraffiadur Cymreig Hyd 1940*, 1953, t. 407.

14. Archif Puleston
15. *Hanes Methodistiaeth Galfinaidd Cymru*: cyfrol 3 – *Y Twf a'r Cadarnhau* (*c.* 1814-1914), John Gwynfor Jones a Marian Beech Hughes (goln), t. 174.
16. Archif Puleston
17. *Hanes Methodistiaeth Galfinaidd Cymru*: cyfrol 3, t. 171.
18. R. Tudur Jones, *Ffydd ac Argyfwng Cenedl*, cyfrol 2, 1981, t. 109.
19. Yn niwedd Ionawr 1913, arwyddwyd cytundeb rhwng Puleston a'r Cyhoeddwyr i argraffu 1,000 o gopïau am y swm o £58.12.6, ond rhwymo 500 i ddechrau. Hawliai'r Cyhoeddwyr gomisiwn o 10% am bob copi a werthid a 5% ar y copïau a werthid gan yr awdur ei hun.
20. Tecwyn Evans, *Cymru* (1), Ebrill 1925, t. 99
21. Saunders Lewis, 'Nodyn ynghylch diwinyddiaeth', *Ati Wŷr Ifanc*, 1986, tt. 30-3. Offeiriad Jeswit oedd Pierre Teilhard de Chardin (1881-1955) a ymchwiliodd i'r berthynas rhwng datblygiad a ffydd.
22. *The Liverpool Daily Post*, 10 Mawrth 1924. Cyhoeddwyd y gyfrol ym Mawrth 1924 ac fe'i hailargraffwyd y Tachwedd dilynol.
23. *Y Goleuad*, 11 Medi 1914, 8. Cysylltai Oxonian ei hun â Lerpwl a gellir bod yn weddol sicr ei fod yn weinidog gyda'r enwad, yn ysgolhaig a diwinydd o gryn allu.
24. Ibid., 25 Medi 1914, 9
25. Clive Hughes, *I'r Fyddin Fechgyn Gwalia*, 1914, tt. 208-9.
26. *Y Brython*, 21 Tachwedd 1914, 4
27. Ibid., 12 Rhagfyr, 1918, 4
28. Ibid., 19 Rhagfyr 1918, 3

'Byddech yn taeru ei fod yn gweld'

1. Cofiant, t. 37
2. Ar 11 Medi 1878, yng Nglofa Tywysog Cymru, collodd 268 o lowyr eu bywydau.

3. *John Puleston Jones*, rhaglen radio, 16 Awst 1953
4. 'Hen Edmygydd', *Y Genedl*, 2 Chwefror 1925, t. 5. Yn ôl y Cofiant, tt. 104-5, to'r capel oedd wedi disgyn.
5. Cofiant, tt. 96, 304. Ar ei aelwyd, cyfeiriai'n aml ato ei hun fel y P. B., 'the poor blind' – naill ai o hunandosturi neu rhwng difri a chwarae.
6. Y *Cymro*, 18 Chwefror 1925, 9. Roedd John Bodvan Anwyl yn frawd i Syr Edward Anwyl – ysgolhaig a chyfaill i Puleston o ddyddiau Rhydychen.
7. *Gwŷr Enwog Gynt*, yr ail gyfres, tt. 43-4
8. Iorwerth C. Peate, *Personau*, 1982, t. 19
9. Cofiant, t. 27
10. *John Puleston Jones*, rhaglen radio, 16 Awst 1953.
11. Cofiant, t. 101
12. 'The blind boy who learned to see with sound', Radio 4, 12 Chwefror 2016 a gwefannau eraill.
13. *Crynhoad*, Hydref 1951, 34

Cwmwl ar y gorwel

1. Bu'n weinidog yno o 1921 hyd 1929 ac yng Nghapel Tegid, Y Bala, wedi hynny, hyd ei farwolaeth yn 1945.
2. Yn ôl hanesydd capeli Cymraeg Lerpwl, D. Ben Rees, bu D. R. Evans yn flaenor yn Belvidere Road ac yna yn Princes Road a T. E. Jones yn flaenor yng nghapel Douglas Road. Gweler D. Ben Rees (gol.), *Llestri Gras a Gobaith: Cymry a'r Cenhadon yn India*, 2001, t. 118.
3. Byddai Alun gyda'r modd i fod o gymorth ac, yn ddiamau, yn barod iawn i helpu. Yn niwedd 1922 penodwyd Alun yn ddarlithydd mewn Ffiseg a Pheirianneg Electronig yng Ngholeg Technegol Sunderland a'i gyflog, yn ôl Y *Cymro*, 22 Rhagfyr 1920, yn 'cychwyn gyda £325'.

4. 'Datguddiad' ac 'Iechydwriaeth' oedd y geiriau a roddwyd iddo i'w holrhain. *Geiriadur Beiblaidd*, 1926, cyfrol 1, tt. 392-5; cyfrol 2, tt. 723-5.
5. Ar 'Calan Rhagfyr', anfonodd air at Alun: 'Y mae dy fam yn danfon *Y Brython*. Wyddost ti beth a ddywedodd Sally [y forwyn], ar ôl gweld yr adroddiad o ffrwyth y dysteb hyd yr wythnos hon – 'Fydd raid iddo fo ddim codi o'i wely.' Fodd bynnag, pan ddaeth hi'n Etholiad Cyffredinol yn ystod Rhagfyr bu rhaid gohirio'r dyddiad cau hyd ganol Ionawr.
6. *Y Goleuad*, 30 Ionawr 1924, 9
7. Wedi'r digwyddiad, daeth rhagor o arian i law, a phrynwyd plât arian ac arysgrifen arno i gofio'r achlysur.
8. Cofiant, t. 232
9. Ibid., tt. 237-8
10. Yn ôl toriad papur newydd yn yr Archif, gyda'r pennawd 'Nodion Lerpwl', 'rhoes Dr. Evans ei fodur hardd at ei wasanaeth droeon.'
11. O'r naw a anrhydeddid, roedd pump yn ordeiniedig; yn eu plith roedd E. Tegla Davies, y llenor, yn cael ei anrhydeddu ag M.A. Yn 1917 roedd y Brifysgol ym Mangor wedi rhoi'r un radd er anrhydedd i John Williams, Brynsiencyn. Fe'i disgrifiwyd fel 'Prif Gaplan y Milwyr Cymreig' ac yna fel 'Diwinydd, Pregethwr a Gweinidog'.
12. Archif Puleston; Cofiant, t. 243
13. Cofiant, t. 245
14. Pan oedd Puleston yn weinidog yn Ninorwig, roedd brawd iddo, Humphrey, yn flaenor yn yr eglwys, a David, yr ieuengaf, yn feddyg yn y fro. Wedi'i ordeinio yn 1907 bu'n weinidog yn Llansawel (Britton Ferry) a Llangurig cyn hynny. Ymddeolodd, wedi ei waeledd, gan symud gyda'i deulu i Dywyn, Meirionnydd, i bregethu, ysgrifennu ac ymroi i waith llywodraeth leol. Daeth yn gynghorydd sir, yn arbenigo ym myd addysg. Bu farw 25 Mawrth 1941.

15. *Y Cymro*, 28 Ionawr 1925, 4
16. Ibid.
17. Datguddiad 21:4

Ei gofio, a dal i'w gofio?

1. Archif Puleston
2. D. Tecwyn Evans, *Cymru* (1), Ebrill 1925, 97
3. Cofiant, t. 250
4. *Y Cymro*, Ionawr 1925
5. *Gwŷr Enwog Gynt*, yr ail gyfres, t. 47
6. Cofiant, t. 304
7. Maurice Griffiths, *Y Drys*orfa, Mai 1939, 180
8. *Ysgrifau Puleston*, 1926, t. 45
9. D. Ben Rees(gol.), *Dilyn Ffordd Tangnefedd* 1914-2014.
10. *Y Brython*, 28 Tachwedd 1918, 4
11. *Gwŷr Enwog Gynt*, yr ail gyfres, t. 48
12. Meirion Roberts oedd y cynllunydd, Trefor Evans a dorrodd y geiriau ar y garreg, y Parchedig John Roberts, Gweinidog Capel Tegid, a lywyddai, a merch Puleston, Myfanwy, yn dadorchuddio.
13. Archif Puleston. Er ymchwilio a chysylltu â'r Gorfforaeth, ni chaed gwybodaeth bellach am y rhaglen.
14. *Straeon Gwil Plas,* Ioan Roberts (gol.), 2011, t. 95.

LLUNIAU

Daw mwyafrif y lluniau a gyhoeddir yn y gyfrol o archif deuluol John Puleston Jones.

Tynnwyd y lluniau cyfoes, gan gynnwys y lluniau o'r creiriau o'r archif, gan Richard Jones.

Tynnwyd y lluniau yn Llanfair Caereinion gan Paul Butler.

Defnyddiwyd rhai lluniau, hefyd, trwy ganiatâd caredig trefnwyr arddangosfa am Puleston a gynhaliwyd yng Nghanolfan y Plase, Y Bala, (t.21, 33, 39, 62, 84, 85, 92, 109, 121, 186, 228, 242, 245, 246.)

Daw'r llun o Joseph Thomas ar dudalen 19 o'r cofiant, *Y Parch. John Puleston Jones, MA, DD*, gan R.W.Jones (1929).

Cyhoeddwyd y llun o Bodrenig (t.28) trwy ganiatâd caredig Enid Lewis Jones, Caernarfon.

Daw'r lluniau ar dudalen 29 o'r wefan Puleston Family History.

Daw'r lluniau ar dudalennau 57 a 58 o archifau New College Worcester.

Atgynhyrchwyd y cerdyn post o Sasiwn y Sarn (t.125) yn y gyfrol *Lloffion Llŷn*, W.Arvon Roberts, Gwasg Carreg Gwalch, (2009).